Am Montag ist alles ganz anders

J&V

Christine Nöstlinger

AM MONTAG IST ALLES GANZ ANDERS

Jugend und Volk Wien München

ISBN 3-224-11234-4 Jugend und Volk Wien

Einband- und Textillustrationen: Christine Nöstlinger junior
© Copyright 1984 by Jugend und Volk Verlagsgesellschaft m.b.H.
Wien–München
Alle Rechte vorbehalten.   5110-84/1
Gesamtherstellung: Wiener Verlag

„Jetzt hör mir einmal zu, meine Süße", sagte Kathis Mama am Freitag, beim Nachtmahl, zu Kathi. „Ich habe heute mit der Huber telefoniert, weil ich doch den Sprechtag versäumt habe, und da habe ich mir gedacht, es gehört sich, daß ich mich wenigstens telefonisch bei ihr erkundige."

Kathi stopfte Makkaroninudeln in den Mund, mampfte und murmelte: „Lehrer mögen es nicht, wenn man sie zu Hause anruft!"

Kathis Mama beugte sich zu Kathi. „Was hast gesagt?"

Kathi schob den Nudelteller weg, schluckte und sprach: „Wenn ich ‚was hast gesagt' sage, dann sagst du immer das heißt ‚wie bitte'!"

„Meine Süße, lenk nicht ab!" sagte die Mama.

Kathi rülpste, schaute die Mama an und wartete. Ich lenk' doch nicht ab, dachte sie. Warum sollte ich ablenken? Kathis Gewissen war rein, absolut lupenrein. In den letzten Wochen war in der Schule alles in tadelloser Ordnung gewesen. Sogar auf die Rechenschularbeit hatte Kathi einen erstklassigen Einser bekommen. Und die letzte Rauferei mit dem Erich, dachte die Kathi, die war auf dem Weg von der Schule in den Hort, die kann die Frau Lehrerin also nicht gesehen haben!

„Die Huber ist im großen und ganzen zufrieden mit dir", sagte die Mama.

„Wieso nur im großen und ganzen?" Kathi grapschte sich die letzte Nudel vom Teller. Sie nahm ein Makkaroniende in den Mund und saugte die Nudel schmatzend hoch. „Was paßt ihr denn nicht im kleinen und halben?" Kathi spitzte die Lippen und ließ die Makkaroninudel langsam wieder aus dem Mund gleiten.

Die Mama seufzte. „Süße, sie hat gesagt, du kommst jeden Dienstag zu spät!"

Kathi spuckte die Makkaroninudel auf die Tischplatte. „Stimmt doch nicht! Überhaupt nicht jeden Dienstag! Nur am letzten! Und rein zufällig auch am vorletzten!"

Die Mama nahm die ausgespuckte Nudel mit spitzen Fingern und warf sie auf den Teller zurück. „Red nicht blöd herum, Süße! Deine Frau Lehrerin lügt doch nicht. Wenn sie sagt, daß du jeden Dienstag zu spät kommst, wird sie recht haben!"

Kathi überlegte, ob sie weiter mit der Mama über die Huber und das Dienstag-Zuspätkommen streiten solle. Es hat keinen Sinn, dachte sie. Schließlich gibt es ja ein Klassenbuch, und in dem steht blau auf weiß, daß die Katharina Rumpel, Schülerin der 3 A, in diesem Schuljahr an fast jedem Dienstag mit ungefähr zehn Minuten Verspätung eingetroffen ist. Und die Mama, dachte Kathi weiter, braucht ja gar nicht das Klassenbuch zu sehen. Sie braucht bloß an der Nachbartür klingeln und den Michi fragen. Der miese Schuft von einer Generalstratschen bestätigt es ihr doch gleich!

Also sagte die Kathi: „O. K., O. K.! Sie soll sich nicht aufregen! Ab nächsten Dienstag werd' ich pünktlich sein!"

Die Mama stand auf, räumte das Nachtmahlgeschirr vom Tisch und tat es in die Abwasch. Sie drehte das heiße Wasser auf und hielt einen Teller unter das Wasser.

„So geht das nicht weiter, Süße", sagte sie. „Du kannst nicht dauernd zu spät in die Schule kommen!"

„Was heißt da ‚dauernd'?" rief Kathi. „Übertreib nicht dauernd! Ich hab ja eh schon gesagt, daß ich ab jetzt pünktlich sein werde!"

Die Mama machte sich über den nächsten Teller. Die Kathi nahm das Geschirrtuch und den gewaschenen Teller und polierte emsig an ihm herum, bis ihr die Mama den nächsten Teller reichte.

„Reg dich nicht auf, wenn ich dir die Wahrheit sage", schimpfte die Mama. „Und außerdem gebe ich ja gar nicht dir die Schuld. Aber wenn die Lady will, daß du bei ihr schläfst, dann hat sie drauf zu schauen, daß du pünktlich in der Schule bist! Und wenn sie nicht genug Vernunft und Verantwortungsgefühl hat, dann —"

Weiter kam die Mama nicht, denn die Kathi knallte den Teller auf den Tisch und rief: „Du bist gemein! Ich lass' mir die Lady nicht verbieten! Echt nicht!"

Dann rannte die Kathi aus der Küche in ihr Zimmer. Sie warf sich aufs Bett, schloß die Augen und breitete das Geschirrtuch über ihr Gesicht. Ziemlich elend war ihr zumute.

„Jetzt dreh bloß nicht durch, Süße", rief die Mama von der Küche her. „Niemand will dir die Lady wegnehmen!"

Doch, das willst du, dachte Kathi. Das willst du schon die ganze Zeit! Du hast nur auf eine günstige Gelegenheit gewartet!

„Aber ich seh nicht ein", die Mama kam auf Kathis Zimmer zu, „warum du auch bei ihr schlafen mußt. Das kannst du genauso gut zu Hause. Wo man schnarcht, ist doch wirklich schnuppe!"

Kathi zog das Geschirrtuch vom Gesicht und setzte sich auf. „Es ist überhaupt nicht schnuppe", rief sie. „Bei der Lady schlafe ich im Bett vom Papa!" Dann ließ sich die Kathi auf den Polster zurückfallen und deckte ihr Gesicht wieder mit dem Geschirrtuch zu. Sie hörte die Mama in die Küche zurückgehen, sie hörte Wasser rauschen und den Durchlauferhitzer brummen. Ob die Mama ihren Einwand richtig verstanden und eingesehen hatte, war der Kathi nicht klar.

Bis zum Montag, bis Kathi und die Mama am Morgen die Wohnung verließen, war der Kathi nicht klar, ob sie nun von Montag auf Dienstag bei der Lady schlafen dürfe oder nicht.

Die Mama hatte das ganze Wochenende nicht mehr davon geredet, und die Kathi hatte sich gedacht: Wenn ich davon zu reden anfange, dann gibt es gleich wieder Streit. Und wenn es Streit gibt, dann wird die Mama stur. Und wenn die Mama stur wird, dann verbietet sie alles. Und wenn sie erst einmal etwas verboten hat, dann bleibt sie dabei. Sogar wenn es ihr in Wirklichkeit leid tut. Sie nennt das „konsequent"!

Erst als die Mama vor dem Haustor zur Kathi sagte: „Dann also tschüß, bis morgen abend, meine Süße!" atmete Kathi erleichtert auf.

Die Mama lief zur Straßenbahnhaltestelle. Kathi blieb beim Haustor stehen. Sie wollte auf die Renate warten. Die Renate wohnte drei Häuser weiter und ging mit Kathi in die Klasse. Aber eine richtige Freundin von der Kathi war sie nicht.

Die Kathi schaute zur Straßenbahnhaltestelle hin. Von der einen Seite kam die Straßenbahn zur Haltestelle gefahren. Von der anderen Seite rannte die Mama auf die Haltestelle zu. Als die Straßenbahn bei der Haltestelle hielt, war die Mama noch einen ganzen Häuserblock weit von der Haltestelle entfernt.

„Hoppauf", murmelte Kathi. „Leg einen Zahn zu, sonst kommst du zu spät ins Büro!"

Die Mama setzte tatsächlich zu einem gewaltigen Endspurt an. Dabei fuchtelte sie mit einem Arm in der Luft herum, um den Straßenbahnfahrer auf sich aufmerksam zu machen. Der Straßenbahnfahrer war ein netter Mann, er wartete, bis die Mama aufs Trittbrett geklettert war, dann erst fuhr er los.

Die Kathi lehnte sich ans Haustor. Die Straßenbahn bimmelte an ihr vorbei. Sie sah die Mama im Triebwagen stehen. Mit einer Hand hielt sie sich an einer Halteschlaufe fest, mit der anderen rückte sie den verrutschten Hut zurecht. Ihr Gesicht war ganz rot.

Sie hat überhaupt keine Kondition, dachte Kathi. Von dem Fuzerl Rennen ist sie ganz außer Atem! Ich werde ihr vorschlagen, daß wir ab jetzt jeden Sonntagvormittag im Park joggen.

Die Kathi wartete noch eine Minute, und als dann die Renate noch immer nicht zu sehen war, machte sie sich auf den Schulweg. Wer schon am Dienstag zu spät kommt, sagte sie sich, der soll nicht auch noch am Montag zu spät dran sein.

Den Schulweg brachte die Kathi beschwingt hinter sich. Sie hopste im Schritt-Schritt-Wechselschritt und sang dazu. Sie sang immer, wenn sie gut aufgelegt war. Und meistens sang sie ziemlich falsch. Je heiterer sie war, desto falscher sang sie.

An diesem Montag sang sie unerhört falsch. Und sie sang auch gar kein richtiges Lied. Also kein Lied, das es schon gibt. Sie sang: Ja, ja, ja, der Montag ist gerettet, der Montag ist in Butter, denn meine liebe Mutter, die ist nicht gemein, die läßt mich bei der Lady sein, ja, ja, ja! Das ist so, und das bleibt so, das ändert keiner und niemand, nein, nein, nein! Das ist fein! Das muß so sein! Ja, ja, ja!

Die Lady, das muß jetzt schön langsam erklärt werden, war Kathis Großmutter, die Mutter von Kathis Papa. Kathis Papa wohnte in einer anderen Stadt. Mit einer anderen Frau. Und anderen Kin-

JA, JA, JA,
DER MONTAG IST GERETTET,
DER MONTAG IST IN BUTTER,
DENN MEINE LIEBE MUTTER, DIE IST
NICHT GEMEIN,
DIE LÄSST MICH BEI DER
LADY SEIN...
JA, JA, JA!!!
N.7

dern. Seit sechs Jahren schon. Als Kathi drei Jahre alt war, hatten sich ihre Eltern scheiden lassen. Und Kathis Mama konnte die Lady, Kathis Großmutter, nicht besonders gut leiden. Das gab die Mama vor Kathi zwar nicht zu, aber Kathi merkte es trotzdem.

Und manchmal, wenn die Mama mit einer Freundin über die Lady redete und Kathi die beiden belauschte, dann konnte sie es auch hören. Dann sagte die Mama: „Meine ehemalige Schwiegermutter hat ja eine Schraube locker!" Oder: „Kein Wunder, daß aus meinem Ex-Mann nichts geworden ist, bei der Erziehung, die er von der Lady bekommen hat!"

Einmal sagte sie auch: „Ich mag es nicht, wenn die Kathi zu viel bei ihr ist. Von der Irren kommt nichts Gutes. Lauter Unsinn hat die Kathi im Kopf, wenn sie nach Hause kommt. Die Alte ist einfach kindisch!"

Dabei war die Lady gar nicht sehr alt. Für eine Großmutter war sie sogar sehr jung. Siebenundvierzig Jahre war sie alt, und die meisten Leute hielten sie für noch viel jünger.

Kam die Kathi mit der Lady in ein Geschäft oder ein Kaffeehaus, meinten die Verkäuferinnen oder die Ober immer, die Lady sei Kathis Mutter, und die Lady freute das. Nie klärte sie die Leute über den Irrtum auf.

Lady war nur der Kosename von Kathis Großmutter. In Wirklichkeit hieß sie Laura Dita Rumpel. Aus dem La von Laura und dem Di von Dita hatte vor vielen, vielen Jahren ein Schulfreund Ladi zusammengestoppelt. Das Y statt dem I hatte sich dann die Lady später selbst zugelegt. Kathi nannte ihre Großmutter deswegen nicht „Oma", weil das einfach nicht zur Lady paßte, weil eine Oma keine schulterlangen, blonden Locken hat und keinen lodengrünen Lidschatten und keinen Pulli mit tiefem V-Ausschnitt im Rücken und keine Strumpfhosen mit Blümchenmuster. Außerdem wollte die Lady gar nicht Oma gerufen werden.

„Das klingt nach Strickstrumpf und hausgemachter Himbeermarmelade und Märchenbuch", hatte sie einmal zu Kathi gesagt. „Und ich kann nur glatte Maschen stricken und habe noch nie Marmelade gekocht und weiß nicht einmal richtig, wie die Geschichte von Hänsel und Gretel ausgeht!"

Dafür wußte die Lady andere Geschichten. Wahre Geschichten!

Die Lady war nämlich Friseurin. In einem großen Frisiersalon war sie angestellt, und den ganzen Tag lang, während sie den Damen die Haare schnitt und die Locken aufdrehte und die Stirnfransen fönte und Haarsträhnen einfärbte, erzählten ihr die Damen allerhand. Von ihren Kindern, von ihren Ehemännern, von ihren Freunden, von ihren Katzen und Hunden, von ihrer Arbeit und sogar von ihren Träumen. Und die schönsten von diesen Geschichten erzählte die Lady dann manchmal am Montag der Kathi, denn am Montag war der Frisiersalon der Lady zugesperrt, und da hatte die Lady für Kathi Zeit.

Am Sonntag war der Frisiersalon natürlich auch zugesperrt. Aber am Sonntag wollte die Mama mit der Kathi zusammensein. Und die Lady wollte mit dem Herrn Georg zusammensein. Manchmal dachte sich die Kathi aus, daß es sehr schön sein könnte, am Sonntag mit der Mama und der Lady und dem Herrn Georg zusammenzusein. Und den Papa dachte sie sich dann auch noch dazu. Aber sie wußte genau, daß das ganz unmöglich war. Der Papa war mit der Mama böse. Die Mama war mit dem Papa böse und konnte die Lady nicht leiden. Die Lady mochte die Mama auch nicht besonders. Und der Herr Georg hatte nichts zu bestimmen.

In der Schule passierte an diesem Montagvormittag nicht sehr viel. Nur in der letzten Stunde, in Handarbeiten, war allerhand los. Der Erika rutschte eine Stricknadel aus der Strickerei. Die Erika brachte die Maschen nicht mehr richtig auf die Nadel hinauf. Mindestens fünf Maschen wurden zu Laufmaschen. Die Frau Handarbeitslehrerin mußte der Erika gut fünf Zentimeter vom roten Strickfleck auftrennen, um die Sache wieder in Ordnung zu bringen.

Das kränkte die Erika so schwer, daß sie zu weinen anfing. Die Erika saß vor der Kathi. Die Kathi lachte über die weinende Erika. Der Kathi kamen weinende Kinder blöd vor. Und wegen fünf Zentimeter Strickerei zu heulen, fand die Kathi wirklich besonders blöd.

Die Erika drehte sich um und schluchzte: „Lach mich nicht aus, du gemeine Kuh!"

Die Kathi lachte weiter. Sie lachte sogar noch mehr.

Die Kathi konnte die Erika nämlich überhaupt nicht leiden.

„Hör auf, gemeine Ziege!" schluchzte die Erika.

Da streckte die Kathi der Erika die Zunge heraus, aber nur ein bißchen und ganz schnell.

Und die Erika streckte einen Arm nach hinten und griff nach Kathis Strickzeug und riß beide Nadeln aus dem roten Strickfleck und zischte: „So, jetzt lach nur ruhig weiter, du gemeines Luder!"

Die Kathi brüllte los wie ein wütender Stier. Sie wollte sich auf die Erika stürzen, doch die Frau Handarbeitslehrerin kam gelaufen und hielt die Kathi fest.

„Was ist denn los, um Himmels willen?" fragte sie.

„Sie hat mir absichtlich die Nadeln rausgezogen!" schrie die Kathi.

„Sie hat mir absichtlich die Zunge gezeigt", schluchzte die Erika.

„Dann steht es ja eins zu eins", sagte die Frau Handarbeitslehrerin. „Dann ist jetzt Halbzeit, und ihr macht Pause und stellt das Match vorübergehend ein!"

Sie fädelte die Maschen von Kathis Strickerei

wieder auf die Nadeln. Keine einzige Masche ging dabei verloren, also mußte sie auch keine einzige Reihe auftrennen.

Kathi bedankte sich bei der Frau Handarbeitslehrerin, wartete bis die Frau Handarbeitslehrerin wieder beim Lehrertisch war und flüsterte dann nach vorne, zur Erika: „Ätschibetschi! Nix hab' ich auftrennen müssen! Ätschibetschi, ganz umsonst hast dich geplagt! Ätschibetschi!"

Und die Erika flüsterte nach hinten: „Wart nur! Nach der Schule, da wird es dir der Erich geben!"

„Macht doch mir nix! Dein edler Ritter soll's nur probieren!" zischte die Kathi nach vorn. „Glaubst, ich hab' Angst vor dem Gschaftlhuber?"

„Wenn ihr zwei Giftzwerge nicht gleich Ruhe gebt", rief die Frau Handarbeitslehrerin", dann könnt ihr zusammen in die Direktion marschieren!"

Die Kathi hatte keine Lust auf eine Strafpredigt von der Frau Direktor. Die Erika auch nicht. Den Rest der Handarbeitsstunde war Waffenstillstand zwischen dem dritten und dem vierten Pult in der Fensterreihe.

Wäre nicht Montag gewesen, hätte die Kathi sicher mit einem mulmigen Bauchgefühl die Schule verlassen, denn vor dem Erich, mit dem ihr die Erika gedroht hatte, hatte die Kathi Angst. Der Erich war der Freund von der Erika. Er war sehr groß und sehr stark und wurde sehr wütend, wenn man seiner Freundin etwas antat. Viermal schon hatte der

Erich der Kathi auf dem Weg von der Schule zum Hort eine Ohrfeige gegeben. Und einmal hatte er sie so fest in den Bauch geboxt, daß die Kathi nachher hatte kotzen müssen.

Doch am Montag parkte immer das Auto der Lady vor der Schule, und die Lady stand neben dem Auto und rauchte eine Zigarette. Wenn der Erich die Lady sieht, dachte die Kathi, wird er nicht wagen, auf mich loszugehen!

Sehr gelassen und ruhig ging die Kathi neben der Renate die Treppe zum Schultor hinunter, obwohl zwei Stufen hinter ihr der Erich und die Erika gingen und der Erich dauernd „Na warte nur, Rache ist süß" flüsterte.

Als die Kathi aus dem Schultor trat, erschrak sie mächtig! Weit und breit war das Auto der Lady nicht zu sehen und die Lady auch nicht. Die Kathi wollte schnell wieder ins Schulhaus zurück, denn dort stand, bei der Treppe, der Schulwart und paßte auf, daß alle Kinder gesittet das Schulhaus verließen. Der Schulwart hätte die Kathi sicher vor dem Erich in Schutz genommen.

Leider war der Erich schneller als die Kathi. Er packte sie von hinten am Hosenbund und zog sie vom Schultor weg und rief dabei:

„Die Erika steht unter meinem Schutz! Hast das noch immer nicht kapiert! Brauchst wieder ein paar Watschen, damit du es dir merkst?"

Die Kathi wollte sich losreißen, aber das gelang ihr nicht. Sie versuchte nach den Schienbeinen vom

Erich zu treten. Wie ein wild gewordenes Zirkuspferd schlug sie nach hinten aus, doch sie traf nur leere Luft, weil der Erich ihren Tritten geschickt auswich.

Er hielt sie weiter fest und rief und lachte dabei: „Du glaubst doch nicht, daß du gegen mich aufkommst, du mickrige Laus!"

Das machte die Kathi zornig. So zornig machte es sie, daß sie auf die Angst vor dem Erich vergaß. Und weil die Angst weg war, bekam sie viel mehr Kraft. Die meiste Kraft spürte sie in den Armen. Mit denen grapschte sie nach hinten, bekam mit einer Hand ein Stück Hemd vom Erich zu fassen und mit der anderen ein Ohr vom Erich.

Der Erich stöhnte auf und boxte die Kathi mit dem Knie in den Hintern. Das tat der Kathi zwar weh, aber sie ließ weder das Hemd noch das Ohr los. Ganz im Gegenteil! Fest quetschte sie das Ohr zwischen den Fingern zusammen, und unter dem Hemdstoff spürte sie Bauchspeck, und in den grub sie alle fünf Fingernägel, so fest sie nur konnte.

Der Erich wimmerte und ächzte, dann brüllte er: „Erika! Erika!"

Die Erika, die vorher beim Schultor gestanden war und aufgeregt an ihren Nägeln herumgebissen hatte, rannte dem Erich zu Hilfe und schrie die Kathi an: „Laß sofort sein Ohrwaschel los! Das gilt nicht! Ohrwascheldrehen ist unfair!"

Dann griff sie mit beiden Händen in Kathis schwarze Locken und riß mit aller Kraft an ihnen.

„Zwei gegen einen ist unfair", schrie Kathi. „Das könnt ihr nicht machen!" Das Ohr und den Bauchspeck gab sie trotzdem nicht frei. Und wenn sie mich umbringen, dachte sie, ich ergebe mich nicht, ich kämpfe bis zum allerletzten Atemzug!

Dieses Heldenende blieb der Kathi aber erspart, denn plötzlich sagte eine tiefe Stimme: „Ja, gibt's denn das auch? Ich denk, mein Hamster bohnert!"

Die tiefe Stimme gehörte der Lady, und die schwarze Lackschuhspitze, die den Erich mitten in den Hintern traf, gehörte auch der Lady. Und die zwei Finger mit den knallroten Fingernägeln, die Erikas Nase packten und verdrehten, gehörten auch der Lady.

Im Nu war die Kathi frei!

„Ihr Halbaffen, ihr", sagte die Lady. „Was haut ihr euch denn? Nur Deppen hauen, aber ihr seid doch keine Deppen!"

Der Erich hielt sich mit beiden Händen sein rotgequetschtes Ohr. Die Erika hielt sich mit beiden Händen ihre rotgezwickte Nase. Die Kathi tastete mit beiden Händen ihre Kopfhaut ab. Sie war sich ganz sicher, daß ihr die Erika büschelweise Haare ausgerissen hatte.

„Na, und jetzt vertragt euch wieder", verlangte die Lady. „Gebt euch die Handerln und schwört Frieden!"

Die Kathi, die Erika und der Erich riefen im Chor: „Nie im Leben!"

„Na, wenigstens da seid ihr euch einig", sagte die Lady und marschierte mit der Kathi zum Auto.

„Du bist ein Depperl", murmelte sie.

„Ich bin kein Depperl." Die Kathi stieg ins Auto.

„Doch, mein Depperl." Die Lady stieg auch ins Auto.

Die Kathi lümmelte sich quer über die Hintersitze. „Schuld bist du", sagte sie. „Ich hab' mich darauf verlassen, daß du vor der Schule stehst und mir Deckung gibst."

Die Lady startete und fuhr langsam die Straße hinunter. „Ich bin so spät dran, weil ich so lang hab' lüften müssen", sagte sie.

„Warum hast lüften müssen?" fragte die Kathi.

„Weil's geraucht und gestunken hat", sagte die Lady.

„Warum hat es geraucht und gestunken?" fragte die Kathi.

„Weil der Braten verbrannt ist", sagte die Lady.

„Warum ist der Braten verbrannt?" fragte die Kathi.

„Weil ich vergessen hab', ihn aufzugießen", sagte die Lady.

„Warum hast vergessen?" fragte die Kathi.

„Weil ich mit dem Georg telefoniert und mich dabei so aufgeregt habe", sagte die Lady.

„Warum hast dich so aufgeregt?" fragte die Kathi.

„Weil mir der Georg Vorwürfe gemacht hat", sagte die Lady.

„Warum hat er dir Vorwürfe gemacht?" fragte die Kathi.

„Das ist meine Privatangelegenheit, mein Engel", sagte die Lady.

„Aha!" sagte die Kathi, und dann, da hielten sie schon bei der Kreuzung an der Hauptstraße, sagte sie:

„Und das heißt also, daß wir wieder einmal kein Mittagessen haben!"

„Werden wir schon haben", sagte die Lady. „Ich würde eine Pizzeria vorschlagen oder einen Schnitzelwirt!"

Fast jedes Montagmittagessen ging der Lady schief. Einmal verbrannte es, einmal wurde es nicht weich, einmal zerkochte es, und einmal schmeckte es einfach scheußlich.

„Ich würd' am liebsten zum Paolo Peregrini fahren", schlug die Kathi vor. „Da mußt du umkehren und die Straße wieder rauffahren und an der Schule vorbei und dann rechts und noch einmal rechts und dann links!"

Der Lady war „italienisch" auch lieber als ein „Schnitzelwirt". Aber so einfach umkehren konnte sie auf der Hauptstraße nicht. Sie fuhr die Straße noch ein Stück weiter, wendete dann auf einem Parkplatz, fuhr die Straße wieder zurück und dann rechts und noch einmal rechts und dann links.

„Und wo ist da eine Pizzeria?" fragte sie.

„Von einer Pizzeria hab' ich kein Sterbenswort gesagt!"

Die Kathi grinste und zeigte auf einen kleinen Eissalon mit einer grün-rot-weißen Fahne an der offenen Tür.

„Das ist der Paolo Peregrini", sagte sie.

„Du glaubst wohl, mit mir kann man alles machen!" Die Lady war empört, sie schüttelte den Kopf, aber weil hinter ihr ein Auto ungeduldig hupte, parkte sie doch vor dem Eissalon ein.

„Zu Mittag braucht das Kind was Warmes in den Bauch", sagte sie. „Ich lass' mir doch von deiner Mutter nicht nachsagen, daß ich dir das Zwerchfell unterkühle!"

Die Kathi beugte sich zur Lady vor und umarmte sie. „Erstens erfährt es die Mama nicht", flüsterte sie der Lady ins Ohr. „Und zweitens bestelle ich mir Vanilleeis mit heißen Himbeeren und nehm' die Himbeeren doppelt, und dann wird mir ganz, ganz warm im Bauch!"

„Blödsinn", murmelte die Lady.

Die Kathi spitzte die Lippen und hauchte der Lady einen Kuß auf den Hals.

„Lass' das", murmelte die Lady. „Davon krieg ich eine Gänsehaut!"

„Sollst du ja", flüsterte die Kathi und hauchte noch ein Küßchen. Und noch eines.

„Und als Ausgleich taue ich mir zur Jause dann ein Gulasch auf!" Kathi knabberte am Ohrläppchen der Lady herum, sehr zärtlich, sehr sanft.

Sie knabberte so lange, bis die Lady aufseufzte und sagte: „Also gut, du Satansbraten! Aber das ist nur eine Ausnahme! Glaub ja nicht, daß wir jetzt jeden Montag zu Mittag auf ein Eis gehen!"

Vor Freude biß die Kathi ganz fest ins Ohrläppchen, und die Lady brüllte „Auweh, du Biest" und befreite sich aus Kathis Umarmung. Sie stellte den Motor ab und stieg aus dem Wagen.

„Na komm schon", sagte sie, „sonst überleg' ich mir die Sache noch!"

Doch die Kathi blieb im Auto sitzen. Sie starrte zur offenen Eissalontür, auf die lange Kinderschlange, die beim Eispult anstand. Sie kurbelte das Wagenfenster herunter. „Fahren wir zu einem anderen Eissalon, Lady", sagte sie.

„Warum denn?" fragte die Lady.

„Nur so, ich mag hier nicht!"

Die Lady schaute verwundert. Sie überlegte, warum die Kathi so urplötzlich gegen den Eissalon war, den sie doch selbst ausgesucht hatte. Doch dann schaute die Lady auch zur langen Kinderschlange beim Pult hin und entdeckte unter den Kindern den Erich und die Erika.

Da fing die Lady zu grinsen an, machte die Autotür auf und zog die Kathi aus dem Wagen.

„So bekommt das ungehörige Mittagessen wenigstens einen gehörigen Sinn, mein Engel", sagte sie, packte die Kathi an der Hand und ging mit ihr auf die Eissalontür zu.

„Wie meinst du das?" fragte die Kathi. Die Lady gab ihr keine Antwort, aber die Kathi merkte trotzdem, was die Lady gemeint hatte, denn die Lady

26

marschierte schnurstracks auf den Erich und die Erika zu und lächelte die beiden an, als wären sie ihre Lieblingsenkel.

Die Kathi wollte das nicht. Am liebsten wäre sie weggerannt, doch das war nicht möglich, denn die Lady hielt ihre Hand fest und ließ sie nicht los.

Der Erich und die Erika schauten auch nicht gerade sehr begeistert drein. So ganz nach was-will-die-denn-jetzt-noch-von-uns schauten sie.

Die Lady blieb vor ihnen stehen. „He, ihr zwei!" sagte sie. „Ich möchte mich bei euch wegen dem Nasenzwicken und dem Hinterntreten entschuldigen. Das war nicht richtig. Ein vernünftiger Mensch sollte das nicht tun!"

Damit hatten der Erich und die Erika nun wirklich nicht gerechnet. Verdutzt schauten sie die Lady an.

„Und um das wieder gutzumachen", fuhr die Lady mit zuckersüßer Stimme fort, „möchte ich euch auf heiße Himbeeren mit Vanilleeis einladen. Oder auf Birne Helene, wenn ihr das lieber möchtet. Kann natürlich auch Pfirsich Melba sein!"

Der Erich und die Erika zögerten. Aber weil der Erich schrecklich gern Birne Helene aß und selbst nie genug Geld dafür hatte, zögerte er ein bißchen weniger als die Erika. Und als dann die Lady noch eine Hand auf seine Schulter legte und mit Katzenschmeichelstimme sagte: „Sei nicht so! Gib mir doch eine Chance, meinen Fehler gutzumachen!", da nickte er.

Und weil die Erika immer tat, was der Erich wollte, nickte sie auch.

Die Kathi nickte nicht. Verbittert schaute sie die Lady an. Nur widerstrebend ging sie an der Hand der Lady zum Marmortisch mit den vier Stühlen.

Kein Wort werde ich reden, schwor sie sich. Stumm wie ein alter Karpfen in der Rente bleibe ich! Aus Protest! Und essen werde ich auch nichts! So kann die Lady nicht mit mir umspringen! Meine Feinde gehen sie nichts an!

Aber dann, als der Erich Birne Helene bestellte und die Erika Pfirsich Melba und die Lady Vanille-Himbeer, da fing es in Kathis Magen so stark und gierig zu ziehen an, daß sie ihren Schwur vergaß und bei der Serviererin auch Vanilleeis mit heißen Himbeeren bestellte. Aber beim Vorsatz, kein Wort zu reden, blieb sie. Sie löffelte bloß emsig und starrte dabei nur in ihren Eisbecher und dachte: Schade, daß ich keine Watte bei mir habe, sonst würde ich mir die Ohren fest verstopfen, damit ich den ganzen Unsinn nicht hören muß!

Der „Unsinn" war das Gespräch, das die Lady mit dem Erich und der Erika führte. Die Lady lobte den Erich, weil er die Erika immer so „heldenhaft" beschützte.

Und der Erich erklärte der Lady, daß er das tun müsse, weil die Erika zum „Selber-Wehren" zu klein und zu schwach sei.

Und dann erzählte die Erika der Lady vom Unglück mit dem roten Strickfleck. Daß ihr die Na-

deln aus der Strickerei gerutscht seien, erzählte sie, und daß ihr die Frau Handarbeitslehrerin fünf Zentimeter aufgetrennt habe und daß sie deshalb geweint habe und daß sie die Kathi ausgelacht habe und ihr die Zunge herausgestreckt habe. Davon, daß sie dann der Kathi die Stricknadeln aus der Strickerei gezogen hatte, sagte sie kein Wort!

Da konnte natürlich die Kathi auch den Vorsatz, kein Wort zu reden, nicht länger halten: „Du Lügenbolzen", fauchte sie, „von dem, was du getan hast, sagst du kein Wort!"

„Das war ja nur, weil ich so einen Zorn gehabt hab'", murmelte die Erika und wurde rot.

Die Kathi tippte sich mit einem Zeigefinger gegen die Stirn: „Wenn man einen Zorn hat, zieht man seinem Hintermann einfach die Nadeln aus der Strickerei, was?" Die Kathi schaute den Erich an. „Und du behauptest, sie ist klein und schwach und kann sich nicht wehren! Daß ich nicht lach'! Die Erika ist so was von gemein, wie es ärger nicht geht! Ein hinterfotziges Biest ist sie! Und wehren kann sie sich besser als viele andere!"

„Ruhe!" rief die Lady so laut, daß alle Leute im Eissalon aufschauten und neugierig wurden. Dann sagte die Lady leiser: „Wie das heute war, ist ja Wurscht. Aber ich möcht' wissen, wieso ihr überhaupt Feinde seid. Das geht doch schon lange so, oder?"

„Das ist schon immer so", sagte die Erika, und die Kathi und der Erich nickten.

Was heißt da ‚immer'?" Die Lady lachte. „Habt ihr euch schon im Kinderwagen angespuckt, oder wie?"

„An den Kinderwagen kann ich mich nicht erinnern", sagte die Kathi. „Aber im Kindergarten waren wir schon verfeindet, schon damals —"

„— hast du mich gehaut", sagte die Erika.

„Hast du mich gezwickt", sagte die Kathi.

„Hast du über mich gelacht", sagte die Erika. „Warst du immer so blöd", sagte die Kathi.

„Da sehen Sie es!" sagte der Erich zur Lady.

„Ja, ich sehe es", sagte die Lady zum Erich. Und zur Kathi sagte sie: „Was hat denn die Erika im Kindergarten Blödes gemacht?"

„Weiß ich doch nicht mehr", sagte die Kathi.

„Ich hab' in der Früh immer geheult", sagte die Erika, „weil ich nicht im Kindergarten bleiben wollte, und das hat die Kathi blöd gefunden!"

„Ich wollt' auch nie im Kindergarten bleiben, aber deswegen hab' ich noch lang nicht geheult", sagte die Kathi. Sie funkelte die Erika bitterbös an. „Aber deswegen war es nicht! Es war, weil du mich immer gezwickt hast. So mit zwei Fingern und ganz wenig Haut dazwischen!"

„Nur weil ich mich nie hauen getraut hab'", sagte die Erika.

„Na und? Und zwicken hast dich getraut?" keifte die Kathi.

Die Erika zerstückelte ihren Pfirsich mit dem Eislöffel. Das ging gar nicht leicht, weil der Pfirsich hart war und der Eislöffel keine scharfe Kante hatte. Dabei sagte sie: „Jedenfalls hast du immer angefangen!"

„Aber keine Spur!" rief die Kathi. „So hat es nur ausgeschaut. Alle haben das geglaubt. Die Tante Truderl auch. Aber das war nur deswegen, weil du eben immer so hinterlistig warst! Wenn du leise gezwickt hast, hat es niemand gesehen. Und wenn ich dann laut gehaut habe, haben es alle gesehen! So war das!"

Die Erika stopfte Pfirsichstücke in den Mund. Mit vollen Backen rief sie:

„Nein, so war das nicht! Du mußt angefangen haben! Wirklich! Weil ich nämlich, wie ich am ersten Tag im Kindergarten war, ich mir gedacht hab' —" Die Erika schwieg.

„Was hast dir da gedacht?" fragte die Lady.

„Daß ich gern mit ihr Freundin werden möchte." Die Erika deutete auf Kathi. „Wenn ich was gegen sie gehabt hätte, hätte ich mir das nicht gedacht!"

„Du mit mir Freundin sein? Daß ich nicht lach'!" Die Kathi hob ihren Eisbecher und trank das letzte Resterl Himbeersaft aus. „Ätschibetschi hast dauernd zu mir gesagt! Nichts wie ätschibetschi!" Die Kathi machte eine quäkende Kinderstimme nach. „Ätschibetschi, mein Apfel ist größer! Ätschibetschi, ich hab' aber ein schöneres Kleid! Nichts wie ätschibetschi! Mehr hast überhaupt nicht sagen können!"

Da rief die Erika: „Ich? Du bist ja übergeschnappt! Ätschibetschi sagst doch du immer! Du bist das! Heute in Handarbeiten hast es auch dreimal zu mir gesagt!"

„Nur zweimal", rief die Kathi.

Da lachte die Lady so laut, daß schon wieder alle Leute neugierig schauten. Sie lachte, daß ihr Busen bebte und Tränen über ihre Wangen kullerten. „Na so was", kicherte sie, „das ist ja die komischste Feindschaft, die ich je erlebt hab'! Eine Ätschibetschi-Feindschaft! Das ist ja nicht zu glauben! Alles wegen Ätschibetschi!"

Zuerst fand die Kathi das Gelächter der Lady gar nicht komisch. Und die Erika sicher auch nicht. Nur der Erich mußte ein bißchen grinsen.

Weil aber die Lady nicht zu lachen aufhörte und Lachen ansteckend ist, fing der Erich schließlich auch zu lachen an.

Und weil die Erika immer tat, was der Erich tat, so lachte sie mit.

Und weil die Lady dauernd „Ätschibetschi" kicherte, fingen der Erich und die Erika auch an, „Ätschibetschi" zu kichern.

Die Kathi wollte wirklich nicht mitlachen und nicht mitkichern. Ganz fest nahm sie sich das vor. Doch sie konnte nichts dagegen tun, daß ihre Mundwinkel zu zittern anfingen.

„Verbeißt du dir das Lachen oder das Weinen, mein Engel?" fragte die Lady kichernd.

„Ätschibetschi, das würdest du gern wissen, aber ich sag' es dir nicht", sagte die Kathi, und dann zuckten ihre Mundwinkel noch mehr, und dann mußte sie loslachen.

Und alle Leute im Eissalon schüttelten die Köpfe über die blonde Frau und die drei Kinder, die unentwegt „Ätschibetschi" kicherten und dabei lachten.

Von diesem Montag an waren der Erich und die Erika und die Kathi zwar nicht gerade Freunde, aber Feinde waren sie auch nicht mehr.

Nie mehr sagte die Erika: „Na wart nur, der Erich wird es dir schon geben!"

Und wenn die Erika aufgerufen wurde und etwas nicht wußte, dann sagte ihr die Kathi sogar ein.

Und einmal, als die Kathi ihr Jausenbrot vergessen hatte, schenkte ihr der Erich die Hälfte von seinem. Und die Kathi aß das Brot, obwohl fette Leberwurst drauf war und sie fette Leberwurst nicht ausstehen konnte, aber sie wollte den Erich nicht kränken.

Und einmal, als die Erika auf einen Aufsatz einen Vierer bekam und deswegen zu weinen anfing, verbiß sich die Kathi das Lachen; dumm fand sie die heulende Erika natürlich trotzdem.

Einmal, an einem Montag, gingen die Lady und die Kathi wirklich Pizza essen. Diesmal war der Lady der Braten nicht verbrannt, diesmal war ihr das Gulaschfleisch hart geblieben. Steinhart! Und die Nockerln waren im Salzwasser zerkocht. Auf dicke Mehlsuppe!

Nach dem Pizza-Essen gingen die Lady und die

Kathi Kaffee trinken. Die Kathi trank immer einen „Kaffee verkehrt". So nannte der Ober im Kaffeehaus Kathis Kaffee. Kathis Kaffee war ein Riesenheferl voll heißer, schaumiger Milch mit einer Winzigkeit Mokka drinnen.

Beim Kaffeetrinken schauten die Lady und die Kathi Modezeitungen an. Die Lady erklärte der Kathi genau, welches Kleid und welches Kostüm und welche Hose sie gern hätte. Die Lady war ziemlich versessen auf Kleider. Angeblich gab sie das meiste Geld für „Fetzen" aus; das behauptete zumindest Kathis Mama.

Als sie schon einen ganzen Stapel Modejournale durchgeblättert hatten, fragte die Lady: „Sag einmal, mein Engel, warum fummelst du dir denn unentwegt auf dem Kopf herum?"

„Nur so", murmelte Kathi. „Es juckt mich. Die Mama sagt, weil ich nervös bin!"

Die Lady runzelte die Stirn und holte die Brille aus ihrer Handtasche. Die setzte sie nur auf, wenn sie etwas sehr genau sehen wollte.

Sie starrte durch die Brille auf Kathis schwarze Lockenpracht. Ganz dicht rückte sie dabei an die Kathi heran.

„Warum schaust denn? Nervöse Nerven sieht man doch nicht!" sagte die Kathi.

„Aber Läuse sieht man", sagte die Lady. „Wenn es juckt, können das leicht Läuse sein. Läuse sind jetzt Mode!"

Die Kathi begann vor Entsetzen zu schielen. Sie

bekam eine Gänsehaut vom Genick bis zu den Kniekehlen. „Nein, bitte nicht", sagte sie leise.

„Doch, danke ja", sagte die Lady genauso leise, dann rief sie „Herr Franz, bitte zahlen!"

Der Ober Franz kam und schrieb die Rechnung. Die Lady bezahlte und bekam das Retourgeld. Die Kathi saß stocksteif da und wagte nicht zu fragen, was die Lady in ihren Locken gesehen hatte. Erst als sie aus dem Kaffeehaus draußen waren und aufs Auto zugingen, fragte sie: „Hab' ich welche?"

Die Lady nickte.

Hätte Kathi weinende Mädchen nicht aus ganzer Seele verachtet, hätte sie sicher zu weinen angefangen. Doch so schluckte sie alle Tränen tapfer hinunter und fragte bloß: „Was tun wir denn jetzt?"

„Wir kaufen ein Lausmittel und waschen damit deine Haare und hoffen, daß nicht nur die Läuse, sondern auch die Lauseier davon tot werden!"

Da fühlte sich die Kathi noch viel elender. Nicht nur Läuse, sogar Lauseier auf dem Kopf zu haben, war schrecklich! Kathi ließ sich von der Lady die Autotür aufsperren. Sie ließ sich auf die Rücksitze fallen und schloß die Augen. Der Kopf juckte jetzt noch viel mehr als vorher, aber um nichts in der Welt hätte Kathi ihren Kopf gekratzt. Auf einen verlausten Kopf, auch wenn es der eigene war, wollte Kathi nicht greifen.

Die Lady fuhr zu einer Apotheke, die über Mittag offen hatte. Kathi blieb im Auto sitzen. Die ganze Zeit, während die Lady in der Apotheke war, kämpfte Kathi gegen die Tränen an. Nicht heulen, nur nicht heulen, sagte sie sich immer wieder vor. Aber es nützte nichts! Als die Lady mit dem Lausmittel zurückkam, weinte die Kathi.

„Ich will keine Läuse haben", schluchzte sie. „Ehrlich! Ich will nicht!"

„Wer will das schon, mein Engel", lachte die Lady. Und den ganzen Heimweg über redete sie der Kathi gut zu. Daß Kathi enorm übertreibe, sagte sie. Daß Läuse doch nicht der Weltuntergang seien, sagte sie. Als Kind, seinerzeit vor vierzig Jahren, sagte sie, habe sie auch Läuse gehabt. Ein paarmal sogar. Und deswegen habe sie noch lange nicht geheult. Ganz im Gegenteil. Jeden Tag habe sie die Läuse vom Kopf gekämmt, und wenn sie ein paar Läuse mehr als ihre Schwester erjagt hatte, dann sei sie der „Sieger" gewesen!

Der Kathi war das kein Trost. Sie schluchzte weiter, was das Zeug hielt. Beim Aussteigen, beim Stiegen-Hochsteigen, beim Tür-Aufsperren. Sie schluchzte sich quer durch das Vorzimmer, ins Badezimmer hinein.

„Wenigstens heulst du einmal richtig", sagte die Lady. „Ein Kind, das nie weint, war mir sowieso immer direkt unheimlich!"

Und dann sagte die Lady, daß es am besten sei, die Sache gleich hinter sich zu bringen. Sie holte drei Flaschen Lausmittel aus einer Tragetasche.

„Für normale Kinder tät ja eine Flasche reichen",

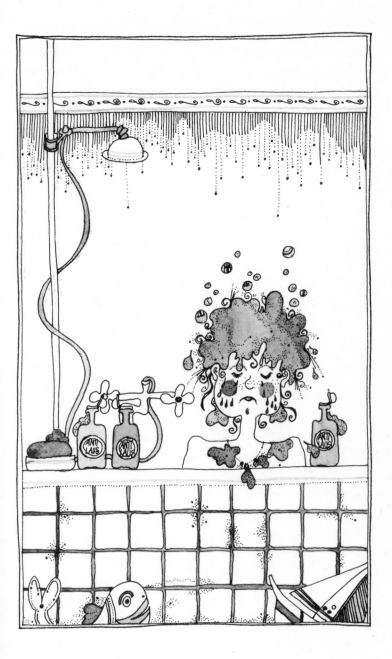

sagte sie. „Aber bei deiner Haarpracht brauchen wir drei!"

Die Kathi mußte sich ausziehen und in die Badewanne setzen und einen Waschlappen vor das Gesicht halten. Die Lady kippte alle drei Flaschen über Kathis Kopf und massierte das stinkende Zeug ein. Dann wickelte sie ein Handtuch über Kathis Kopf.

„Jetzt kämpfen die Viecher den Todeskampf", sagte sie, „in zwanzig Minuten ist dein Schädel ein Lausfriedhof, und dann spülen wir die Leichen weg und singen ihnen einen Begräbnischoral!"

Das brachte sogar die Kathi ein ganz klein wenig zum Lachen. Aber das Lachen verging ihr gleich wieder, denn die Lady sagte: „Weißt du, mein Engel, deine Mähne ist eine ideale Lauswohnung. Am klügsten wäre es, wir würden deine Haare abschneiden. Ganz kurz. Da fühlen sich die Läuse dann nicht mehr so wohl. Und wenn du wieder eine fängst, merkst du es auch viel schneller."

Die Lady meinte, Läuse könne man ja immer wieder bekommen. In der Schule. Im Park. Im Hort. Im Schwimmbad. Überall!

Die Kathi sah das ein, aber ihre schwarzen Locken wollte sie trotzdem nicht hergeben. Kathi liebte ihre Locken. Sie hielt sie für das einzig wirklich Wunderschöne, was sie hatte. Vergangenes Jahr hatte sie, nur wegen der Locken, in der Schule, bei der Theateraufführung das Schneewittchen spielen dürfen. Und sogar wildfremde Leute blieben manchmal auf der Straße stehen und bewunderten

Kathis Haare. Erst gestern hatte eine Frau zu ihr gesagt: „Kind, sei stolz! Solche Haare sind selten!"

Die ganzen zwanzig Minuten, während die Läuse auf Kathis Kopf krepierten, redete die Lady der Kathi zu einem Kurzhaarschnitt zu, und die Kathi wehrte sich dagegen. Noch beim Haare-Ausspülen wehrte sie sich dagegen, aber als dann die Lady mit einem „Staubkamm" Kathis nasse Haare durchkämmte, brüllte die Kathi nur mehr. Wie am Spieß brüllte sie. Der Staubkamm hatte scharfe, dünne Zähne, die ganz dicht beieinander standen, und die Lady riß der Kathi beim Kämmen sehr, sehr viele Haare aus.

„So nimm doch einen normalen Kamm", brüllte die Kathi.

Die Lady sagte, ein normaler Kamm helfe bei Läusen nicht, da würden die Lauseier zwischen den Kammzähnen durchrutschen.

„Ich bin so vorsichtig, wie es nur geht", schwor die Lady. „Aber du hast ja Haare wie eine Roßhaarmatratze."

Über eine Stunde kämmte die Lady, und Kathi hatte am Ende der Prozedur schon gar keine Kraft mehr zum Brüllen. Endlich stöhnte die Lady: „Geschafft, mein Engel!" und ließ den schrecklichen Kamm sinken. Die Kathi wickelte sich ein Badetuch um den Leib und wankte hinter der Lady ins Wohnzimmer, ließ sich aufs Ledersofa fallen und ächzte: „Noch einmal steh' ich das nicht durch! Du hast mir die Seele aus dem Hirn gerissen!"

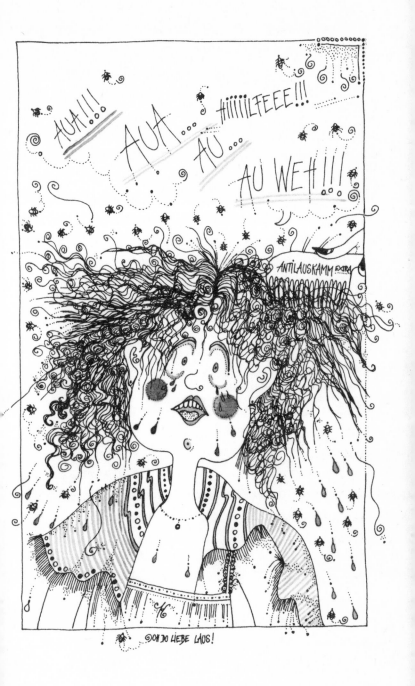

Die Lady setzte sich zu Kathi. Sie streichelte Kathi. „Tut mir leid", sagte sie. „Aber es hat sein müssen." Und dann seufzte sie und meinte, daß sie die Tortur vielleicht nächste Woche wieder machen müsse. „Du brauchst bloß ganz kurz deinen Kopf an den Kopf von einem verlausten Kollegen legen, und schon hast du wieder eine Laus, und die Viecher legen Eier wie verrückt! Ein paar Tage später gibt's dann schon Lausjunge!"

„Ich lehn' meinen Kopf an keinen anderen Kopf", sagte Kathi.

„Im Turnen, auf der Matte, kannst auch eine kriegen", sagte die Lady.

„Ich leg' mich nicht auf die Matte", sagte Kathi.

„Oder es kriecht eine von einer anderen Mütze auf deine Mütze", sagte die Lady.

„Ich trag' doch keine Mütze, jetzt, im Sommer", sagte Kathi.

„Trotzdem", sagte die Lady. Und dann redete sie wieder davon, daß man Kathis Locken abschneiden müsse. Sie brachte Kathi einen Stoß Frisurenzeitschriften und zeigte Kathi Fotos von Kurzhaarschnitten und behauptete, diese Frisuren seien zumindestens so hübsch wie Kathis „Afro-Look". Und moderner noch dazu.

Kathi blätterte gelangweilt in den Journalen. Da waren ja ganz nette und hübsche Frisuren drinnen, etliche waren sogar recht lustig, aber gegen ihre Mähne, fand Kathi, kamen sie alle nicht auf.

Kein Mensch, dachte Kathi, wird stehen bleiben

und mir Komplimente machen, wenn ich mit einer dieser Frisuren herumlaufe.

Kathi streckte sich auf der Lederbank aus. Auf den Bauch legte sie sich, damit ihre nassen Haare keine Flecken auf das Leder machen konnten. Sie fühlte sich recht wohl. Einen lausfreien Kopf zu haben, war ein angenehmes Gefühl! Kathi überlegte, ob sie der Mama überhaupt von den Läusen erzählen sollte.

Die Mama war sowieso gegen Kathis „Mähne", weil sie mit ihr beim Kopfwaschen eine Menge Mühe hatte.

Kathi dachte: Wenn die Mama auch sonst immer anderer Meinung ist als die Lady, diesmal wird sie ihr recht geben. Sie wird auch fürs Haarschneiden sein. Und sie wird es mir nicht nur anraten, sie wird drauf bestehen!

Kathi schaute beim Nachdenken vor sich hin, und dabei fiel ihr Blick auf eine Illustrierte, die auf dem Teppich vor dem Fernsehapparat lag. Auf dem Titelblatt war eine Popsängerin. Kathi starrte auf das Titelfoto, dann sprang sie auf und zur Illustrierten hin und rief: „O. K.! Lady! Schneid mir die Haare, aber nur so!" Sie wachelte der Lady mit der Illustrierten vor dem Gesicht herum. Die Lady schnappte nach der Zeitschrift und betrachtete die Popsängerin.

„Du spinnst ja", murmelte sie.

„Überhaupt nicht." Kathi lachte. „So und nicht anders will ich die Haare haben. Im Fernsehen hab' ich vorige Woche auch so eine gesehen! Ist doch echt toll, oder?"

Die Lady legte die Illustrierte weg. „Deine Mama dreht durch, wenn ich dich so herrichte, mein Schatz!"

„Meine Frisur ist doch meine eigene Angelegenheit, oder?" rief Kathi.

„An und für sich schon", sagte die Lady.

„Na eben!" rief die Kathi.

„Aber so eine Frisur haben nur Punks", sagte die Lady.

„Was sind Punks?" fragte Kathi.

„Leute mit so einer Frisur", sagte die Lady.

„Na, jetzt weiß ich vielleicht mehr!" sagte die Kathi. Dann schaute sie die Lady ein bißchen mitleidig an. „Oder kannst du so einen Haarschnitt gar nicht?" Kathi wußte ja, daß die Kundinnen, die in den Frisiersalon der Lady kamen, meistens ältere Damen waren.

Die Lady griff wieder nach der Illustrierten. Mit Dackelfalten auf der Stirn betrachtete sie die Popsängerin.

„Warum soll ich das nicht können?" fragte sie empört.

„Ist ja wohl keine Kunst! Rechts und links schert man eine Fast-Glatze, vorn läßt man einen ausgefransten Pony stehen, und den Irokesenstreifen über den Schädel drüber, den muß man mit Haarspray steif machen. Und dann spritzt man Farbspray über das Ganze!"

„O. K., dann tu's!" sagte Kathi. „Schneiden wir im Bad oder hier?"

Aber die Lady war zum Punkschnitt noch immer nicht bereit.

Kathi hielt ihr vor, daß sie doch dauernd darüber klage, daß ihre „Damen" nur so langweilige Haarschnitte mögen und daß sie jetzt eine einmalige Gelegenheit habe, zu zeigen, was sie an Haarschnitten alles könne! Und daß sie doch sonst immer sage, daß man kein „Frisurenmuffel" sein solle!

„Mit so einer Frisur halten dich alle für einen Punk", sagte die Lady.

„Na und?" Die Kathi war nicht beeindruckt.

„Die Leute mögen Punks nicht", sagte die Lady.

„Warum?" fragte die Kathi.

„Weil sie niemanden mögen, der anders ist." Die Lady war schon recht ungeduldig.

Die Kathi bohrte in der Nase und starrte die Lady an. „Erstens ist das dumm von den Leuten", sagte sie. „Und zweitens werd' ich keine andere wegen einem anderen Haarschnitt!"

„Das wissen aber die Leute, die dich nicht kennen, nicht." Die Lady wurde immer ungeduldiger.

„Die, die mich nicht kennen, sind mir Wurscht!" Die Kathi holte einen Rammel aus der Nase und betrachtete ihn.

„Und deine Mama-"

„Meine Mama kennt mich doch", unterbrach die Kathi und steckte den Rammel in den Mund. Die Lady sah es und verzog das Gesicht. Kathi grinste.

Rammel, natürlich nur die eigenen, gehörten zu ihren Lieblingsspeisen. Salzig-sauer und gut schmeckten sie. Die Kathi verstand nicht, warum allen Leuten immer so schrecklich grauste, wenn sie ihr beim Rammelessen zuschauten.

„Und die Kinder in der Schule und im Hort, die würden auch ganz entsetzt sein, wenn du mit so einer Frisur daherkommst", sagte die Lady. „Du hast ja keine Ahnung, wie die sich aufführen würden!"

„Das werd' ich ja merken!" Kathi war fest entschlossen zur neuen Frisur! Jetzt erst recht!

Kathi rutschte ganz nahe an die Lady heran und lehnte ihren Kopf an die Schulter die Lady. „Jetzt sei nicht so", sagte sie. „Haare wachsen doch wieder nach. Und die meinen wachsen sowieso ganz schnell!"

Kathi merkte, daß die Lady nicht mehr ganz so ablehnend schaute. Darum redete sie schnell weiter: „Immer soll ich nur tun, was die anderen wollen. Und ausschauen, wie die anderen wollen. Und reden, was die anderen wollen. Und fernschauen, was die anderen wollen. Und essen und spielen und lesen, was die anderen wollen. In der Schule. Im Hort. Und bei der Mama auch. Nie kann ich tun, was ich wirklich will. Wenigstens eine Frisur, die ich mag, werde ich doch haben dürfen, wenn schon die Haare weg müssen!"

Die Lady war beeindruckt. „Na, von mir aus", sagte sie zögernd. „Aber deine Mama sollten wir vorher schon fragen —"

„Nein!" Kathi schüttelte den Kopf. „Über meine Haare bestimme ich und sonst niemand!"

„Und du nimmst alle Konsequenzen auf dich?" fragte die Lady.

Kathi hatte keine Ahnung, was „Konsequenzen" sind, aber sie nickte heftig.

„O. K., dann gehen wir's halt an!" Die Lady stand auf. Kathi lief ins Badezimmer und setzte sich auf den Wannenrand. Die Lady kam mit dem kleinen Köfferchen, in dem sie ihre Scheren und Kämme und Messer und ihr sonstiges Handwerkszeug aufbewahrte. Die Illustrierte mit der Popsängerin lehnte sie „zum Maßnehmen" an die Kachelwand beim Waschbecken.

Bald saß die Kathi in einem Riesenhaufen Ringellocken, und die Lady schnipselte und schnitt und rasierte; sie schnaufte vor Aufregung.

Kathi hielt die Augen geschlossen. Damit ihr keine Haarschnipsel in die Augen fielen und damit sie sich im Badezimmerspiegel nicht sehen konnte. Sie wollte sich überraschen lassen.

Nicht einmal als die Lady sagte: „Jetzt fehlt nur noch der Spray" machte sie die Augen auf. Sie fragte bloß:

„Welche Farbe nimmst du?"

„Ich hab rosaroten Spray und grünen und violetten", sagte die Lady.

„Nimm alle drei", sagte die Kathi.

„Genau meine Ansicht", sagte die Lady, dann zischte es um Kathi herum und roch nach Parfüm

und Chemie, und dann rief die Lady: „Fertig, gnä' Frau!"

Die Kathi machte die Augen auf und starrte in den Spiegel. Das Kind, das ihr aus dem Spiegel entgegenstarrte, kam ihr sehr unbekannt vor, aber unheimlich aufregend. Vorsichtig tupfte sie auf den steifen Irokesenstreifen, der lila, grün und rosa glitzerte, und auf die Stoppelglatze zu beiden Seiten der Pracht.

„Echt irre", sagte sie stolz. „Bloß —", sie zögerte, „meine Klamotten, die hauen jetzt nicht mehr hin! Zu der Frisur paßt doch kein Blümchenkleid! Und der Schottenrock auch nicht!"

„Was du angehabt hast, muß ich sowieso waschen", sagte die Lady. „Das steht auf dem Lausmittel drauf. Sonst hat alles keinen Sinn gehabt."

Die Kathi ging ins Vorzimmer, zum großen Kleiderschrank der Lady. Hinter der mittleren Tür hatte sie zwei Fächer in Untermiete. Kathi kramte in ihren Pullis und Hosen und Röcken, fand aber nichts, was ihr gefallen hätte. Darum schimpfte sie vor sich hin.

Die Lady lachte und sagte, passende Punk-Kleider seien in Kathis Größe gar nicht aufzutreiben, solche „Monturen" gäbe es nur in Erwachsenengrößen.

Die Kathi holte sich die Illustrierte mit der Popsängerin. Zum Titelbild gehörte eine lange Geschichte im Heft mit vielen Bildern drinnen. Die Bilder schaute sich Kathi aufmerksam an. Dann zog sie ihre Jeans an und einen roten Pulli von der Lady. Der Pulli reichte ihr bis zu den Schenkeln. Über den Pulli zog sie ein T-Shirt der Lady. Das T-Shirt reichte ihr bis zum Popo. Um die Taille band sie sich ein Seidentuch der Lady, das sie vorher zu einem Kuhstrick zusammengedreht hatte. Einen roten und einen blauen Socken zog sie sich auch an. Und um den Hals legte sie sich das uralte Hundehalsband, das an einem Garderobehaken der Lady hing. Als Andenken an den Dackel, den die Lady früher gehabt hatte und der schon seit Jahren tot war.

„Na? Wie findest du mich?" Die Kathi drehte sich vor der Lady wie ein Fotomodell. „Haut doch hin, oder?"

Kathi hatte mit einem Entzückensschrei der Lady gerechnet, aber die Lady murmelte bloß: „Ich weiß nicht, mein Engel, ich weiß nicht —"

„Was ist denn nicht O. K.?" fragte die Kathi. Sie lief zum Spiegel. „Eine Sicherheitsnadel durch's Ohrwaschelloch wär' noch Spitze! Was meinst?"

„Mir ist flau im Magen", sagte die Lady. „Ich hätt' das nicht tun dürfen. Ich bin ein Esel! Ich hab' einen Verstand wie ein alter Goldhamster!"

„Warum ist dir flau im Bauch? Hast was Schlechtes gegessen?" fragte Kathi.

Die Lady schüttelte bekümmert den Kopf. Sie erklärte Kathi, wegen der Punkfrisur sei ihr flau im Magen. Nie, nie, nie, sagte sie, hätte sie auf Kathis „irre Idee" eingehen dürfen. Und dann gestand sie Kathi, sie habe die Haare ja gar nicht so echt auf

„Punk" schneiden wollen, nur so ein Häuchlein von „punky" habe sie schnipseln wollen, aber während des Haareschneidens sei es einfach „über sie gekommen", und jetzt sei es für „alles zu spät"! Kathis Mama werde Krach schlagen, die Kinder würden Kathi auslachen, auf der Straße würden alle Leute mit dem Finger nach Kathi zeigen.

Da wurde der Kathi auch ein bißchen flau im Magen, aber das gab sie nicht zu. Sie rief: „Ob die Leute mit dem Finger auf mich zeigen, können wir ja ausprobieren! Gehen wir spazieren, Lady!"

„Ich trau' mich nicht", sagte die Lady.

„Du spinnst ja", sagte die Kathi. „Nur weil bei meinen Haaren etwas hochsteht, was bei den anderen flach liegt? Nur weil es bei mir wie ein Regenbogen glitzert, wo es bei den anderen hundsbraun ist?"

Die Kathi sprach nicht nur der Lady Mut zu. Sie sprach sich selbst Mut zu. „Die Renate hat manchmal Stoppellocken! Und die Erika hat manchmal eine geflochtene Krone von einem Ohrwaschel quer über den Kopf bis zum anderen! Das ist doch auch ungewöhnlich! Und die Mama hat so rote Haare, wie es sie in echt nicht gibt! Und die Frau Lehrerin hat Dauerwellen. Lauter winzige Kringelchen! Dann tät ja jeder spinnen, der die Haare nicht so wachsen läßt wie sie wachsen!"

Die Lady gab Kathi recht. Aber spazierengehen wollte sie trotzdem nicht. Erst als die Kathi sagte: „Soll ich vielleicht hier bleiben, bis mir die Haare wieder auf die Schultern gewachsen sind?" gab die Lady nach. Aber sie bat Kathi, wenigstens „vernünftige Kleider" anzuziehen. Bis auf die Jeans mußte Kathi alles ausziehen und gegen zwei gleichfarbige Socken, ein eigenes T-Shirt und eine eigene Jacke vertauschen.

Als die Lady mit der Kathi die Wohnung verließ, murmelte die Lady: „Ehrlich wahr! Am liebsten würd' ich umkehren!"

„Jetzt übertreib nicht", sagte Kathi. Aber ihr Herz klopfte beim Treppabsteigen sehr aufgeregt.

Die erste Person, auf die Kathi und die Lady trafen, war die Hausmeisterin. Doch die polierte ihre Messingtürklinke und schaute nicht auf. Sie sagte bloß „Guten Tag" und sonst nichts. Außerdem war es im Hausflur so dunkel, daß sie Kathis Frisur sicher nicht richtig bemerkt hätte.

Vor dem Haustor aber standen zwei Nachbarinnen der Lady. Zwei, mit denen die Lady zerstritten war, weil sich die zwei beim Hausverwalter über die Lady beschwert hatten. Wegen zu lauter Radiomusik.

Als die zwei Nachbarinnen Kathi sahen, bekamen sie runde Kulleraugen.

Kathi sagte artig: „Grüß Gott, Frau Huber, Grüß Gott, Frau Berger!"

Die zwei schienen keines Wortes fähig. Erst als Kathi und die Lady an ihnen vorüber waren, sagte die Frau Huber: „Jetzt schlagt's aber zwölfe!" Und die Frau Berger sagte: „Die gehört ja ins Irrenhaus, das arme Kind so herrichten!"

Die Kathi und die Lady hatten es gehört. „Na siehst!" sagte die Lady.

„Ach, die zwei", sagte Kathi. „Das sind ja böse Frauen!"

Die Kathi und die Lady gingen die Straße hinunter, dem Park zu. Fast alle Leute, die Ihnen entgegenkamen, machten Kulleraugen. Etliche schüttelten auch den Kopf. Und ein paar murmelten etwas, was Kathi nicht verstehen konnte. Dem Gesicht nach zu urteilen, das die Leute dabei machten, war es aber nichts Freundliches. Und als sie bei der Kreuzung über die Straße gingen, hupte eines der wartenden Autos, und der Fahrer beugte sich aus dem Seitenfenster und tippte sich an die Stirn und brüllte: „Bist überg'schnappt, du Rotzpiepen du?"

„Na, da siehst es!" sagte die Lady wieder.

Der Kathi war der hupende Autofahrer Wurscht. „Bist überg'schnappt?" und „Rotzpiepen" hatten schon eine Menge Erwachsene zu ihr gesagt. Dazu brauchte es gar keine Punkfrisur. Dazu mußte man bloß im Hof einen Indianerschrei ausstoßen oder in der Straßenbahn ein bißchen singen oder im Supermarkt mit den Gitterwagen ein Wettrennen machen oder auf den Rollschuhen mit jemandem zusammenstoßen. Erwachsene Leute schimpfen ja schnell.

Erwachsene Leute waren der Kathi nicht wichtig. Sie wollte wissen, was die Kinder im Park zur neuen Frisur zu sagen hatten! Die Kinder waren Kathi wichtig!

Der Spielplatz im Park war ziemlich groß. Es gab Schaukeln und einen Kletterturm, einen vergitterten Ballspielplatz und zwei Sandkisten.

In der Sandkiste waren die Kleinen. Zu denen ging die Kathi zuerst. Den Kleinen fiel Kathis Frisur gar nicht auf. Sie schaufelten weiter im Sand herum. Kathi beugte sich zu einem Kind in einer roten Latzhose und lächelte ihm zu und sagte: „He du, Kleiner! Schau dir einmal meine Haare an, bitte!"

Der Kleine in der Latzhose hob den Kopf und schaute Kathi an. Aber nur ganz kurz. Er sagte: „Ich back einen Kuchen! Zum Burtstag!" Dann senkte er den Kopf wieder und schaufelte emsig weiter im Sand herum.

So verließ Kathi die Sandkiste und ging zu den Schaukeln. Ein Mädchen und ein Bub waren bei den Schaukeln. Zwei Schaukeln waren leer. Kathi setzte sich auf eine der freien Schaukeln, aber sie schaukelte nicht. Der Bub und das Mädchen schaukelten langsamer, dann hörten sie ganz zu schaukeln auf. Sie saßen auf den Schaukelbrettern, baumelten mit den Beinen, schauten die Kathi an und grinsten. Die Kathi grinste auch.

„Bist du neu in der Gegend?" fragte der Bub.

„Im Park warst du noch nie", sagte das Mädchen.

„Doch", sagte die Kathi. „Aber nur manchmal, am Montag. Am Montag bin ich nämlich immer hier." Sie zeigte in die Richtung, in der das Haus der

Lady war. „Am Montag bin ich bei meiner Großmutter."

Ich hab' dich aber noch nie gesehen im Park", sagte der Bub. „Dich hätt' ich mir doch gemerkt!"

„Eisern", sagte das Mädchen.

„Ich hab' die Frisur erst seit einer Stunde", sagte die Kathi.

„Ach so", sagte der Bub. Und das Mädchen sagte auch: „Ach so!"

Dann schwiegen sie alle drei und baumelten mit den Beinen. Und lächelten einander an. Und dann sagte die Kathi: „Meine Großmutter ist nämlich Friseurin. Und sie hat mir heut' die Haare geschnitten. Und jetzt meint sie, so kann ich nicht auf die Straße gehen. Und ist ganz unglücklich!" Die Kathi zeigte zur Parkbank hin, auf der die Lady saß.

Das Mädchen bohrte in der Nase, holte einen Rotzrammel heraus und steckte ihn in den Mund. Kathi fand das Mädchen sehr symphatisch! Sie bohrte auch in der Nase, da war aber leider nichts zu holen.

„Deine Oma ist komisch", sagte der Bub.

„Überhaupt nicht", sagte Kathi.

„Doch", sagte der Bub. „Warum schneidet sie dir zuerst die Haare so, und dann sagt sie, so kannst du nicht auf die Straße gehen! Das paßt doch nicht zusammen!"

„Oft paßt nichts zusammen", sagte Kathi. Das Mädchen nickte.

Die Kathi holte tief Luft, weil sie das Mädchen

und den Buben etwas fragen wollte und Angst vor der Antwort hatte. „Wie —" fragte sie, „wie gefällt euch denn meine Frisur?"

Der Bub schaute Kathi an. Sehr aufmerksam schaute er sie an. „Indianer haben auch so was auf dem Kopf gehabt", sagte er. „Und Indianer mag ich!"

Das Mädchen holte wieder einen Rotzrammel aus der Nase. „Mir gefallen Locken besser", sagte es. „Aber irgendwie schaust du schon lustig aus!"

Kathi atmete erleichtert auf.

„Nur", sagte das Mädchen, „ich würd' mich nicht trauen, so herumzulaufen. Ehrlich!" Es steckte den Rotzrammel in den Mund. „Meine Kusine, die ist schon fünfzehn, die hat auch solche Haare. Nur blond. Die haben sie deswegen aus ihrer Arbeit rausgeworfen. Sie war Lehrmädchen in einem Lebensmittelgeschäft. Jetzt kriegt sie keine neue Lehrstelle."

„Ich geh' ja nicht als Lehrmädchen", sagte Kathi.

„Ihr Vater ist auch ganz bös auf sie", sagte das Mädchen. „Und in der Berufsschule kriegt sie deswegen Scherereien!"

Der Bub sagte: „Meine Eltern sagen auch, daß man so nicht ausschauen darf!"

Er schaukelte wieder ein bißchen, grinste Kathi zu und rief: „Aber mir sind alle Haar' ganz Wurscht! Von mir aus könntest auch glatzert sein oder himmelblaue Lockerln haben!"

Kathi nickte dem Mädchen und dem Buben zu,

rutschte von der Schaukel und lief zum Ballspiel-platz. Fünf Buben waren hinter dem Gitter. Sie hatten einen Fußball, aber sie spielten nicht. Sie hockten auf dem Boden, im Kreis. Den Fußball hielt einer von ihnen unterm Arm.

Kathi hörte beim Eingang zum Gitterkäfig zu laufen auf. Langsam ging sie auf die Buben zu. Fremde Kinder anzureden, fiel ihr nicht leicht.

Die Buben bemerkten sie nicht. Sie redeten aufgeregt miteinander. Erst als Kathi dicht neben ihnen stand, schauten sie auf.

„Willst was?" fragte der, der den Ball unterm Arm hatte.

„Ob ich mitspielen kann?" fragte Kathi.

„Bist ein Bub oder ein Mädel?" fragte der mit dem Ball unterm Arm, und der, der rechts von ihm saß, sagte: „Weil mit Mädeln spiel'n wir nicht!"

„Du bist ein Depp", sagte die Kathi, „weißt gar nicht, ob ich ein Bub oder ein Mädel bin, aber hast was gegen Mädchen!"

Der mit dem Ball unterm Arm sagte: „Wir haben nix gegen Mädeln, wir spielen nur nicht Fußball mit ihnen. Und ein Mädel bist sowieso."

Der, der links von ihm saß, sagte: „Vielleicht ist er doch ein Bub. So eine Frisur kann auch ein Bub haben."

Der mit dem Ball unterm Arm schüttelte den Kopf. „Aber sie hat eine Mädelstimme!"

„Ihr seid Affen", sagte die Kathi. Sie drehte sich um und marschierte aus dem Gitterkäfig.

„Beleidigte Blunzen", rief ihr der mit dem Ball unterm Arm nach.

Aber die Kathi war gar nicht beleidigt. Recht zufrieden war sie sogar. Sie dachte: Eindeutig erwiesen! Die Lady hat sich geirrt! Die Kinder haben nichts gegen meine Frisur!

Die Kathi ging zur Parkbank, auf der die Lady wartete.

„Na, wie war's?" fragte die Lady.

„Alles O. K.", sagte die Kathi und tat so, als habe sie überhaupt nie etwas anderes erwartet.

Die Lady murmelte „Dem Himmel sei Dank" und richtete dabei den Blick himmelwärts und stellte fest: „Du, gleich wird es regnen, aber ordentlich!"

Die Kathi hatte nichts gegen Regen, wenn es nicht kalt war. Im lauen Sommerregen ging die Kathi sogar gern spazieren. Es machte ihr Spaß, bis auf die Haut naß zu werden. Aber die Lady konnte Regen nicht leiden.

„Komm schnell", rief sie. „Wir haben nicht einmal einen Schirm mit! Wir müssen nach Haus! Laufen wir!"

Richtig laufen konnte die Lady aber gar nicht, weil Stöckelschuhe mit dünnen, hohen Absätzen zum Laufen nicht taugen. Mit solchen Schuhen fällt einem schon das normale Gehen nicht leicht. Obwohl die Kathi ziemlich langsam lief, war sie schon beim Parkausgang, als die Lady erst den Kinderspielplatz überquert hatte.

„Hoppauf, Lady!" brüllte sie und machte dabei mit den Händen einen Trichter vor dem Mund und dachte: Gegen die Lady ist ja die Mama die reinste Sprinterin!

Sie lehnte sich an das Parkgitter und wartete. Die ersten Regentropfen fielen. Ganz dicke Regentropfen waren das. Kathi streckte die Zunge aus dem Mund, soweit sie nur konnte, und versuchte, mit der Zunge Regentropfen aufzufangen.

„Spielst du züngelnde Klapperschlange?" fragte die Lady, als sie endlich herangetrippelt war.

„Spielst du Schnecke?" fragte die Kathi.

Die Lady ächzte und trippelte emsig weiter, der Kreuzung zu. „Auf den Hufen immer noch eine Spitzenleistung", rief sie. Kathi lief gemächlich neben ihr her.

An der Kreuzung war die Ampel auf Grün geschaltet. Die Regentropfen fielen schon dichter. Der Himmel war ganz dunkelgrau. Kathi lief über die Straße, die Lady jappelte hinter ihr her und kreischte plötzlich mitten auf der Fahrbahn: „Verdammt nochmal!" Der Absatz des linken Schuhes steckte zwischen zwei Pflastersteinen fest.

Vom Gehsteig aus schaute die Kathi zu, wie die Lady versuchte, den festgeklemmten Stöckel freizubekommen. Die Ampel hatte bereits wieder auf Rot geschaltet. Die Autos hupten. Sie konnten ja nicht weiterfahren, ohne die Lady zu überfahren!

Weil die Lady den Schuh nicht aus dem Pflaster loskriegte, schlüpfte sie aus ihm, bückte sich und

werkelte mit beiden Händen an ihm herum. Endlich bekam sie ihn frei. Aber nur den Schuh! Der
Absatz war abgebrochen und steckte noch immer
zwischen den Pflastersteinen.

Kathi kicherte. Die Lady fluchte, schlüpfte auch
aus dem zweiten Schuh, klemmte die beiden Schu-
he unter die Achsel und galoppierte zu Kathi auf
den Gehsteig, und die Autos konnten endlich weiterfahren.

„So eine Sauerei", schimpfte die Lady. „Meine
besten Luxustreter!" Sie holte den kaputten Schuh
unter der Achsel hervor. Sie betrachtete ihn traurig.
„Der wird nie wieder! So ein schönes rosarotes Leder für einen neuen Absatz hat kein Schuster!"

„Hast doch eh drei Dutzend Latschen" sagte Kathi tröstend.

„Mein Engel, aus dir spricht deine werte Frau
Mutter", murmelte die Lady, dann steckte sie den
Schuh wieder unter die Achsel, klemmte auch die
kleine Handtasche dazu und rief: „So! Und jetzt
werden wir einmal sehen, wer da eine Schnecke ist!
Auf los geht's los!" Und dann zählte sie: „Eins,
zwei —" Bei: „Drei, los!" rannte sie schon.

„Verfrühter Start", brüllte Kathi und rannte. Sie
holte die Lady ein, aber überholen konnte sie die
Lady nicht. Nebeneinander rannten sie her.

„Alle Achtung" rief die Kathi, „du bist doch keine Schnecke!"

Die Lady antwortete nicht. Sie brauchte die ganze Atemluft zum Laufen.

Zwei Häuserblocks vor dem Haus der Lady fing es zu schütten an. Ein richtiger Wolkenbruch prasselte vom Himmel. Und weil die Kathi dicht an den Hausmauern lief, platschten auch noch Ströme von Wasser aus den Dachrinnen auf sie herunter. Bis zum Haustor hielt die Lady durch. Doch gleich dahinter verließ sie die Kraft. „Uff", keuchte sie mit dem letzten Fuzerl Luft, das in ihr war. Sie lehnte sich an die Gangwand und sank, als ob sie keinen einzigen Knochen im Leibe hätte, auf ein Häuflein zusammen.

„Hast dich übernommen?" fragte die Kathi besorgt. Aus uralter Gewohnheit beutelte sie den Kopf, um Wasser aus den Haaren zu schütteln, da aber die lange Mähne nicht mehr auf Kathis Kopf war, gab es nichts zu beuteln, und Kathi stellte das Kopfschütteln ein.

Langsam bekam die Lady wieder Luft. „Uff!" schnaufte sie. „Das kommt davon, wenn eine alte Frau glaubt, daß sie ein Schnellzug ist!"

„Willst noch lang hier sitzen bleiben?" fragte die Kathi und trat von einem Bein auf das andere. Sie mußte nämlich dringend aufs Klo.

„Bis an mein Lebensende", sagte die Lady. Sie holte den Wohnungsschlüssel aus der Handtasche. „Du mußt doch, oder? Weil du so herumzappelst!" Sie hielt Kathi den Schlüssel hin.

In diesem Moment kam die Hausmeisterin aus ihrer Wohnung. Sie watschelte auf die Haustür zu. Entsetzt starrte sie auf die Lady. „Sind Sie das, Frau

Rumpel?" fragte sie. Anscheinend konnte sie im düsteren Hausflur nicht gut genug sehen.

„Jawohl, ich bin's", sagte die Lady.

„Ist Ihnen schlecht 'worden?" fragte die Hausmeisterin. „Oder sind Sie besoffen?"

„Weder das eine noch das andere!" Die Lady rappelte sich auf und schaute empört.

„Warum liegen S' dann hinter dem Haustor herum?" keifte die Hausmeisterin.

„Ich lag nicht, ich saß", sagte die Lady.

„Gehört sich auch net", keifte die Hausmeisterin. „Gehn S' in ihre Wohnung und sitzen S' dort!"

„Jawohl", sagte die Lady und putzte an ihrem waschelnassen Kleid herum, „wird auch besser sein! Hier ist es zu dreckig zum Sitzen!"

„Der Gang ist rein!" rief die Hausmeisterin. „Daß der Gang dreckig ist, lass' ich mir von Ihnen nicht nachsagen, Sie, Sie — Sie —" Dann machte die Hausmeisterin eine abfällige Bewegung mit der Hand, drehte sich um und watschelte auf die Straße hinaus.

„Sie, Sie, Sie —" höhnte ihr die Lady nach. „Die Person ist ja zu stupid, um ein passendes Schimpfwort zu finden!"

„Komm, Lady." Die Kathi zog die Lady zur Treppe hin. „Komm, gehen wir!" Wenn die Lady mit anderen Leuten zu streiten anfing, schämte sich die Kathi immer ein bißchen für die Lady. Nur Gesindel streitet laut, sagte Kathis Mama immer. Alle Leute, die Kathi kannte und auf die sie etwas hielt,

66

sagten das. Kathi wollte nicht, daß jemand die Lady für „Gesindel" hielt; obwohl Kathi eigentlich gar nicht recht wußte, was ein „Gesindel" ist. Aber etwas Schönes und Gutes war es anscheinend nicht. Und Kathi wollte, daß alle Leute die Lady für etwas Schönes und Gutes hielten.

Bis in den zweiten Stock hinauf schimpfte die Lady über die Hausmeisterin, aber im dritten Stock hatte sie sich schon wieder beruhigt, und im vierten Stock, bei der Wohnungstür, meinte die Lady, während die Kathi aufsperrte: „Ist ja eigentlich kein Wunder, wenn die Hausmeisterin dauernd grantig ist! Alt ist sie, in einem Kellerloch wohnt sie, eine winzige Rente hat sie und einen unmöglichen Mann, und dreimal pro Woche kriegt sie einen Hexenschuß! Man muß Mitleid mit ihr haben!"

„Warum hast du dann keins?" fragte Kathi.

„Hab' ich ja, sag' ich doch eben", sagte die Lady.

„Aber du hast es zu spät", sagte die Kathi.

„Hauptsache ich hab's", sagte die Lady. „Besser zu spät als nie, mein Engel!"

Im Vorzimmer zogen die Lady und die Kathi die nassen Sachen aus. Und weil sie beide bis auf die Haut naß geworden waren, zogen sie sich auch bis auf die Haut aus. Die Lady war der einzige erwachsene Mensch, der nichts dabei fand, vor Kathi nackt zu sein. Kathis Mama tat das nie! Der Mama war es sogar unangenehm, wenn ihr Kathi beim Baden zusah. Nur wenn sehr viel Badeschaum auf dem Wasser war, soviel, daß man von der nackten Mama nichts sehen konnte, wurde die Mama nicht verlegen.

Und ihren Papa hatte Kathi überhaupt noch nie nackt gesehen, wenn sie im Sommer für drei Wochen bei ihm war. Dabei hätte die Kathi schrecklich gern einmal einen nackten Mann gesehen, einen erwachsenen. Doch der Papa verriegelte immer die Badezimmertür, wenn er duschte. Und wenn Kathi am Morgen zu ihm ins Bett kroch, hatte er einen Pyjama an, und wenn Kathi mit ihm an den Teich zum Baden fuhr, zog sich der Papa im Auto um und tat das so verschämt, daß Kathi auch nichts sehen konnte.

Einmal hatte Kathi der Mama gesagt, daß sie gern einen nackten Mann sehen würde. Da war die Mama im Gesicht rot geworden und hatte nur „Aber Kathi" gesagt, und Kathi hatte gemerkt, daß man mit der Mama über nackte Männer nicht gut reden konnte.

Mit der Lady konnte man schon darüber reden. Aber auch sie konnte der Kathi nicht helfen. Die Lady kannte bloß den Herrn Georg so gut, daß sie ihn hätte ersuchen können, sich vor der Kathi auszuziehen, aber sie meinte, der Herr Georg sei alt und habe einen fetten Bauch und sei überhaupt kein schöner Anblick. Und außerdem meinte sie, sei der Herr Georg sicher nicht bereit, für Kathi den nackten Mann zu machen. So hatte die Kathi den Nackten-Männer-Wunsch zu den vielen, vielen anderen unerfüllbaren Wünschen getan, die sie hatte. In eine kleine silberne Dose hatte sie ihn getan. Echt! Kathi hatte so eine Dose. In ihrem Zimmer, das früher das Zimmer vom Papa gewesen war, in der Wohnung der Lady, war die silberne Dose. Und wenn die Kathi einen unerfüllten Wunsch hatte, einen, den ihr keiner erfüllen wollte, dann schrieb sie ihn auf einen winzigen Zettel, faltete den Zettel zusammen und legte ihn in die Dose. „Für später einmal", sagte sie dazu.

Die nackte Lady holte zwei Badetücher aus dem Schrank. Eines wickelte sie sich um den Leib, eines warf sie Kathi zu. Kathi ribbelte mit dem Badetuch ihre nasse Haut ab, hielt jedoch plötzlich inne, ließ das Badetuch fallen und griff sich mit beiden Händen an den Kopf und schaute entsetzt.

„Lady, meine Frisur ist weg", rief sie. Sie stolperte über das Badetuch ins Badezimmer hinein, zum Spiegel.

„Nein, das ist gemein!" brüllte sie ihr Spiegelbild an. Kein bißchen Rosa, kein bißchen Grün und kein bißchen Violett war mehr auf ihrem Kopf. Und der Irokesenstreifen war auch nicht mehr da. Nur mehr ein tropfnasser Ringellockenstreifen war da. Ganz so, als ob sich Kathi ein Persianerkrägelchen auf die Stoppelglatze gelegt hätte.

„Krieg mir nicht die Freisen", sagte die Lady. „Naturkrause kraust sich halt in der Nässe, das müssen wir wieder hochfönen und sprayen!"

Die Lady machte sich sofort ans Werk, gut eine halbe Stunde arbeitete sie mit Fön und Bürste und

Spray, bis Kathis Kopf wieder so war, wie Kathi ihn haben wollte.

„Pflegeleicht bin ich ja jetzt nicht gerade", maulte Kathi.

„Pflegeleicht warst du noch nie", sagte die Lady, „zumindestens nicht, was dein Temperament betrifft und deine Gemütsart!"

Um fünf Uhr kam, wie oft am Montag, der Herr Georg. Mit zwei großen, vollgestopften Einkaufstaschen kam er. Er wollte für die Kathi und die Lady ein Nachtmahl kochen. Die Kathi hielt den Herrn Georg für den besten Koch der Welt. Sein Beruf war das nicht. Sein Beruf war Sparkassakassier.

Die Kathi kochte gern mit dem Herrn Georg, weil sie richtig kochen und nicht bloß helfen durfte. Sie durfte die schwierigsten Sachen machen: Einbrenn aufgießen, Glasur über den Kuchen schütten, Teig mit dem Mixer kneten und Fleisch ins heiße Fett legen.

Nie sagte der Herr Georg: Das kannst du nicht, oder: Da könntest du dich schneiden oder verbrennen!

Das sagte er höchstens zur Lady. Und so öde Arbeiten wie Erdäpfel-Schälen und Erbsen-aus-den-Schoten-Holen und Dreckgeschirr-Wegwaschen, tat er selbst.

An diesem Montag kochten der Herr Georg und die Kathi Tafelspitz mit vielen Soßen und Suppe mit Frittaten und Walderdbeerstanitzel.

Drei Stunden lang kochten sie. Beim Zwiebel-schneiden schnitt sich der Herr Georg ein Stück vom Zeigefingernagel weg und konnte das Nagel-stück unter den Zwiebelwürfeln nicht mehr finden.

„Wer meinen Zeigefingernagel beim Essen im Erdäpfelschmarrn findet, der hat morgen den gan-zen Tag Glück", behauptete er.

„Und wenn er in meinem Erdäpfelschmarrn drinnen ist und ich ihn nicht finde, aber trotzdem schlucke?" fragte die Kathi.

„Dann hast du morgen lauter Glück und merkst es nur nicht", sagte der Herr Georg.

Glück zu haben und es nicht zu merken, fand die Kathi so komisch, daß sie lachen mußte. Und als dann noch die Lady behauptete, man dürfe einen Nagel absolut nicht schlucken, denn das Nagel-stück könnte sich im Magen festbohren und ein Magengeschwür erzeugen, mußte sie noch mehr lachen. Und weil der Herr Georg zur Lady sagte: „Du hast ja Vorstellungen wie ein Kindergarten-kind", mußte sie noch mehr lachen, und weil die Lady darüber beleidigt war und zum Herrn Georg sagte: „Du Wappler, du", mußte sie sich vor Lachen den Bauch halten.

Die Kathi mochte es, wenn die Lady mit dem Herrn Georg stritt. Sogar wenn sich die Lady mit dem Herrn Georg viel mehr und viel stärker stritt als wegen dem Fingernagel im Magen, freute sich die Kathi. Bei einem Streit zwischen den beiden war nämlich von Anfang an sicher, daß sie sich in einer

Stunde oder auch in zwei wieder tadellos vertragen und liebhaben würden. Das fand die Kathi so schön und so beruhigend. Von klein auf, immer wenn die Kathi die Mama gefragt hatte, warum ihr Papa nicht mit ihnen zusammen wohnte, hatte die Mama ihr erklärt: „Weißt du, wir haben uns so viel gestritten! Da war es besser, daß wir uns getrennt haben!"

Die Lady und der Herr Georg waren für die Kathi der Beweis, daß man sich streiten und auch wieder vertragen konnte.

Das Super-Nachtmahl aßen die Lady, der Herr Georg und die Kathi am schön gedeckten Wohnzimmertisch bei Kerzenlicht. Acht große Kerzen brannten in einem silbernen Kerzenleuchter in der Tischmitte. Die Lady mochte Kerzenlicht. Es schmeichelt, sagte sie immer. Damit meinte sie, daß man im Kerzenlicht hübscher aussieht. Und damit meinte sie, daß man die kleinen Falten, die sie um die Augen hatte, nicht sehen konnte. Die Falten um die Augen herum machten der Lady nämlich Sorgen. Die schmierte sie jeden Abend mit einer teuren Creme ein. Die Kathi hatte die Lady schon oft gefragt, warum sie denn so bekümmert über die paar winzigen Falten sei, und dann hatte die Lady geantwortet: „Falten sind das Alter, mein Engel! Ich mag das Alter nicht! Ich hab' Angst davor! Zu den Falten kommen dann noch die Krampfadern und der hohe Blutdruck und der Hängebusen und die Weitsichtigkeit und das Rheuma und die Schwerhörigkeit, und ich will das alles nicht haben!"

Den Zeigefingernagelschnipsel vom Herrn Georg fand keiner der drei im Erdäpfelschmarrn. Darum behauptete die Kathi, sie habe ihn garantiert verschluckt und werde nun morgen den ganzen Tag Glück haben und es nicht bemerken.

„Was könnte denn das für ein Glück sein?" fragte sie.

„Du wirst einen Buben kennenlernen, den du für einen Trottel hältst, aber hinterher, in ein paar Wochen, wirst du merken, daß er ein ganz, ganz lieber Bub ist", meinte die Lady.

„Du wirst eine Schularbeit schreiben und denken, daß du einen Fünfer bekommst, und dann wird sich herausstellen, daß es ein Einser ist!" meinte der Herr Georg.

„Du wirst die Straßenbahn verpassen und dich ärgern", meinte die Lady, „und dann wirst du später hören, daß die Straßenbahn entgleist ist!"

„Du wirst über ein Kanalgitter gehen", meinte der Herr Georg.

„Na und?" fragte die Kathi.

„Und nichts wird passieren!" sagte der Herr Georg.

„Ich gehe oft über ein Kanalgitter und nichts passiert", sagte die Kathi.

„Aber morgen, wenn du kein Glück hättest", sagte die Lady, „dann hättest du den Wohnungsschlüssel in der Hand und der würde dir aus der Hand rutschen und in den Kanal fallen! Aber weil du Glück hast, wird das morgen nicht passieren!"

Bis sie das letzte Biskuitstanitzel weggeputzt hatten, redeten die Lady und die Kathi und der Herr Georg über alles, was einem einen Tag lang passieren kann, wenn man kein Glück hat. Dann schoben sie die Riesenberge Schmutzgeschirr auf dem Servierwagen in die Küche und machten sich ans Küche-Putzen.

Der Herr Georg schimpfte auf die Lady, weil sie so langsam Teller trocknete und dabei eine Zigarette rauchte. „Ist ja kein Wunder, wenn nix weitergeht", maulte er, „mit einem Tschick in einer Hand bist du ja behindert!"

Die Kathi wischte mit einem nassen Tuch den Tisch und die Arbeitsflächen sauber. Dabei fiel ihr ein, daß der Herr Georg noch kein Sterbenswort über ihre neue Frisur gesagt hatte. Als er gekommen war, hatte er sie nur sehr lange und sehr erstaunt angeschaut.

„Du Georg", sagte die Kathi, „wie findest du eigentlich meinen neuen Kopf?"

„Ja, ja, ganz prächtig", sagte der Herr Georg, „so was scheint ja jetzt modern zu sein!"

Die Kathi hatte den Verdacht, daß er log. Denn wenn dem Herrn Georg etwas wirklich gefiel, dann lobte er es begeistert. Daß der Verdacht richtig war, merkte die Kathi erst, als sie im Bett lag. Knapp vor dem Einschlafen war es schon. Sie hatte die Zimmertür nicht zugemacht und konnte hören, was die Lady und der Herr Georg im Wohnzimmer redeten.

Sie hörte, wie der Herr Georg sagte: „Lady, der Hintern gehört dir ausgehaut! So eine Frisur zu schneiden! Was hast du dir denn dabei gedacht!"

Die Lady antwortete: „Sie wollte es unbedingt! Und besser als lange Haare mit Läusen ist es immer noch! Und zu einem normalen Haarschnitt war sie nicht zu überreden!"

Der Herr Georg sagte: „Man kann doch als vernünftiger Mensch nicht alles machen, was ein Kind will!"

Die Lady antwortete: „Alles nicht! Aber ein Haarschnitt schadet ja niemandem! Ihr nicht und einem anderen auch nicht! Oder?"

Der Herr Georg sagte: „Stell dich nicht so! Eine Punkfrisur ist kein Haarschnitt!"

„Jetzt hör aber auf", sagte die Lady, „was ist sie denn sonst?"

„Eine Weltanschauung!" sagte der Herr Georg.

Die Kathi gähnte, drehte sich auf ihre Schlafseite, griff noch einmal vorsichtig auf den steifen Irokesenstreifen und freute sich, daß sie eine „Weltanschauung" auf dem Kopf hatte!

Seit Kathis Mama mit der Frau Lehrerin telefoniert und vom Dienstag-Zuspätkommen erfahren hatte, stellte sich Kathi jeden Montagabend den Wecker auf sechs Uhr. Seither war sie am Dienstag auch nie mehr zu spät gekommen. Sie fuhr jetzt Dienstag in der Früh mit der Straßenbahn in die Schule und wartete nicht mehr darauf, daß die Lady endlich gefrühstückt hatte, endlich mit dem Makeup fertig war, endlich den Pulli gefunden hatte, der zu ihrem Lippenstift paßte und endlich die Auto-schlüssel in der Hand hielt.

Denn das muß gesagt werden: Am Dienstag-Zuspätkommen hatte die Kathi nie schuld gehabt! Schlafmütze war sie keine. Sie war sogar eine Früh-Aufsteherin! Um sechs Uhr aus dem Bett zu stei-gen, machte ihr überhaupt nichts aus. Und Hilfe beim Waschen, Anziehen und Frühstück-Essen brauchte sie auch keine. Das erledigte sie auch zu Hause seit Jahren schon ganz alleine.

Als der Wecker punkt sechs Uhr schrillte, war die Kathi schon wach. Nicht einmal mehr im Bett lag sie. Vor dem Wandspiegel in ihrem Zimmer stand sie und fluchte wie ein Autofahrer im Stau. Der Irokesenstreifen war schon wieder total ka-putt! In der Nacht hatte ihn die Kathi schief ge-schlafen! Er war zwar noch regenbogenbunt und stocksteif, aber er war in zwei Teile zerfallen, in ei-nen vorderen und einen hinteren, und der vordere war nach rechts gekippt, und der hintere war nach links gekippt. Sosehr sie sich auch bemühte, die zwei Teile wieder senkrecht zu stellen und zu verei-nigen, es gelang ihr nicht. Und auf die Lady konnte sie nicht hoffen. Die Lady war ein echter Morgen-muffel. Bevor sie nicht geduscht und drei Heferln Kaffee getrunken und fünfzehn Minuten Ö3-Wek-ker gehört hatte, war mit ihr nichts anzufangen. Da hörte sie nicht, was man ihr sagte, und gab auch kei-ne Antworten.

Kathi schlich auf Zehenspitzen zum Schlafzimmer der Lady. Manchmal am Montag blieb nämlich der Herr Georg zum Schlafen bei der Lady. Vorsichtig machte die Kathi die Schlafzimmertür einen Spalt breit auf. Ja, der Herr Georg war da. Und er schlief auch nicht mehr. Er saß am Doppelbettrand und gähnte.

„Du Georg, kannst du mir helfen?" fragte die Kathi leise.

„Aber gern! Wobei denn?" Der Herr Georg gähnte wieder und stand auf.

„Bei meiner Frisur", flüsterte Kathi. „Sie will nicht!" Gähnend kam der Herr Georg ins Vorzimmer. „Was soll ich denn tun?" fragte er und schaute ratlos auf Kathis Kopf. Kathi führte ihn ins Badezimmer und drückte ihm eine Spraydose in die Hand. Sie sagte: „Ich halt' die Haare hoch, und du sprayst, ja?"

„Ich hab' das noch nie getan", sagte der Herr Georg und gähnte wieder. „Ich glaub', ich kann das wirklich nicht!"

„Doch!" sagte die Kathi. „Wenn ich ‚jetzt' sage, dann drückst du einfach aufs Knopferl an der Dose oben!"

Die Kathi hielt den Vorderteil vom Irokesenstreifen mit der rechten Hand hoch und den Hinterteil mit der linken und rief: „Jetzt!"

Der Herr Georg drückte aufs Knöpfchen. Grün sprühte es aus der Dose. „Pfui Deibel, das stinkt!" rief der Herr Georg.

„Jetzt hör auf", kommandierte die Kathi, „und nimm die andere Dose, die, wo Rosa draufsteht!"

Der Herr Georg fand die Dose zuerst nicht. Wahrscheinlich, weil er zu verschlafen war. Er wollte mit der Rasierschaumdose sprühen.

„Doch nicht die", rief die Kathi entsetzt, „die Dose daneben!"

Da griff der Herr Georg nach der Dose mit dem Anti-Schweiß-Spray.

„Nicht auf *der* Seite daneben, auf der anderen Seite daneben", rief die Kathi. Sie konnte selbst nicht nach der Spraydose greifen, sie brauchte ja beide Hände, um die Haare hochzuhalten. Die durfte sie erst loslassen, bis der Spray ganz trocken war.

Endlich hatte der Herr Georg den richtigen Spray gefunden und sprühte. Jetzt konnte er das schon sehr gut. Aber er schimpfte noch immer über den Geruch. Auf den violetten Spray verzichtete die Kathi. Sie fand, daß sie schon genug Farbe auf dem Kopf hatte, weil der Herr Georg im Sprayen doch nicht so perfekt war wie die Lady. Er hatte ihr nicht nur den Irokesenstreifen vollgesprüht, sondern auch die rechte Seite der Stoppelglatze.

Gut zehn Minuten hielt die Kathi die Haare hoch, dann war der Spray trocken. Kathi ließ die Hände sinken und fluchte wieder wie ein Autofahrer im Stau. Jetzt standen die Haare zwar brav nach oben, aber in einen Vorderteil und einen Hinterteil waren sie noch immer zerfallen.

„So kann ich doch nicht gehen", jammerte die Kathi, „ich hab' ja zwei Gamsbärte auf dem Kopf!"

„Na und?" Den Herrn Georg störte das nicht.

„Aber so gehört das nicht", rief die Kathi. Sie zeigte dem Herrn Georg das Titelbild auf der Illustrierten.

„So gehört das!"

„Wer bestimmt das?" fragte der Herr Georg.

Das wußte die Kathi nun auch nicht. Der Herr Georg setzte sich auf den Badewannenrand und behauptete, daß es doch Jacke wie Hose sei, ob bunte Haarbüschel so oder so oder so vom Kopf wegstehen.

Die Kathi war nicht einverstanden. „So wie auf dem Foto ist es Mode!"

„Dann führst du eben eine neue Mode ein", sagte der Herr Georg.

Damit war die Kathi schon eher einverstanden. Sie zupfte noch ein bißchen an den zwei Gamsbärten herum und beschloß dann, sie für hübscher als einen einfachen Irokesenstreifen zu halten.

Etwas anderes blieb ihr ja nicht übrig!

Später, beim Frühstück mit dem Herrn Georg, räumte die Kathi ihre Schultasche ein. Die Lady schlief noch. Sie mußte ja erst um neun Uhr im Geschäft sein.

Der Herr Georg bot sich an, die Kathi mit dem Auto in die Schule zu fahren. „So können wir länger frühstücken", sagte er.

Die Kathi fand das nett von ihm. Daß er aber schon wieder gelogen hatte, merkte sie, als er sich von der Lady verabschiedete. Kathi hörte ganz genau, was er zur Lady sagte. Er beugte sich über die schlafende Lady, gab ihr einen Kuß auf die Wange und sagte: „Ich bring' die Kleine in die Schule! Mit *dem* Kopf kann sie nicht Straßenbahn fahren!"

„Warum kann ich mit *dem* Kopf nicht Straßenbahn fahren?" fragte Kathi, als sie schon im Auto saßen.

„Wieso denn? Klar könntest du", sagte der Herr Georg.

„Aber du hast es zur Lady gesagt", sagte die Kathi.

„Nein! Da mußt du dich verhört haben", sagte der Herr Georg.

Kathi traute sich nicht, dem Herrn Georg zu sagen, daß er log. Dazu kannte sie ihn nicht gut genug. Sie wußte nicht, ob er zu den Erwachsenen gehörte, die Lügen zugeben können, oder zu denen, die fuchsteufelswild werden, wenn man ihnen eine Lüge nachweist.

Punkt dreiviertel acht Uhr waren sie vor der Schule.

„Viel Glück, Kathi", sprach der Herr Georg voll Mitgefühl.

„Sowieso", sagte die Kathi und stieg aus dem Auto. „Ich hab' ja deinen Nagel im Bauch!"

Der Herr Georg nickte matt.

„Nur werd' ich das Glück nicht merken!" Die

Kathi grinste dem Herrn Georg zu, packte sich die Schultasche auf den Rücken und ging aufs Schultor zu. Ob der Herr Georg wirklich „Der Herr möge dir beistehen, mein Kind" zum Abschied hinter ihr hergemurmelt hatte, fragte sich die Kathi, bis sie beim Schultor war. Dort entschied sie, daß er das nicht gesagt haben konnte, denn der einzige Herr, den es in der Schule gab, war der Schulwart, und wobei ihr der hätte „beistehen" sollen, fiel der Kathi nicht ein.

Zwei Mütter standen beim Schultor und verabschiedeten sich von ihren Kindern. Die eine fragte gerade: „Und ein Taschentuch hast du auch, Andi?" Und der Andi griff in die Hosentasche und nickte.

Die Kathi zwängte sich zwischen dem Andi und seiner Mutter durch.

„Mutti, schau dir der ihre Haare an!" rief der Andi. Der andere Bub kreischte: „Hahaha, das ist die Rumpel aus der 3A, hahaha, die ist übergeschnappt!"

Blöde Blödiane, dachte Kathi und lief zur Treppe und die Treppe hinauf und zu ihrer Klasse. Dabei kam ihr kein Kind in die Quere. Die meisten Kinder kamen ja erst ein paar Minuten vor acht Uhr anmarschiert. In Kathis Klasse waren auch erst vier Kinder. Der Erich, die Erika, die Daniela und die Michaela. Und die Frau Lehrerin Huber saß beim Lehrertisch und zerschnitt große Zeichenblätter auf kleine Kärtchen.

„Guten Morgen", sagte die Kathi und ging zu ihrem Platz. Zuerst war es ganz still. Die Frau Lehrerin Huber ließ die Schere sinken und starrte die Kathi an. Die Erika stand beim Papierkorb und hörte auf, ihren Bleistift zu spitzen, und starrte die Kathi an. Der Erich legte sein Donald-Duck-Heft weg und starrte die Kathi an. Die Daniela zog den Finger aus der Nase und starrte die Kathi an. Und die Michaela nahm den Lollipop aus dem Mund und starrte die Kathi an.

Erst als sich die Kathi gesetzt hatte und ihre Schulsachen ausräumte und aufs Pult legte, stieß der Erich einen lauten Pfiff aus, einen auf zwei Fingern im Mund, und die Erika sagte „Wui", und die Daniela und die Michaela fingen miteinander zu tuscheln an.

Dann rief die Frau Lehrerin: „Kathi, bitte komm zu mir!" Kathi stand auf und ging sehr langsam auf den Lehrertisch zu. Als sie dort angekommen war, sagte sie: „Ja bitte?"

„Wie schaust denn du aus?" fragte die Frau Huber.

Kathi wußte nicht, was sie darauf antworten sollte.

„Gefällt dir das?" fragte die Frau Huber. Kathi nickte.

„Warum?" fragte die Frau Huber.

„Meine Haare haben weg müssen", sagte die Kathi. „Weil Läuse drauf waren, und da hat meine Großmutter gesagt, ich muß kurze Haare haben, die mögen die Läuse nicht so sehr. Und da hat sie mir die Haare geschnitten!" Die Kathi lächelte, so lieb und so nett sie nur konnte, der Huber zu. „Das ist jetzt modern. Vorige Woche im Fernsehen war auch so eine Frisur!"

Die Frau Huber lächelte nicht zurück. Ganz ernst fragte sie: „Deine Großmutter hat das verbrochen?"

Die Kathi nickte. „Die ist nämlich Friseurin und kann jeden Haarschnitt!"

„Und deiner Mutter gefällt das auch?" fragte die Frau Huber. Kathi merkte, daß sie die Huber nicht zum Lächeln bringen konnte.

„Das sind meine Haare", sagte die Kathi und lächelte auch nicht mehr. „Die müssen nur mir gefallen! Sonst gehen sie keinen Menschen was an!"

„Geh bitte wieder an deinen Platz", sagte die Frau Huber zur Kathi, und in die Klasse rief sie: „Ich muß auf einen Sprung weg! Benehmt euch bitte ordentlich!" Dann lief die Huber wie ein Wiesel aus der Klasse, der Direktion zu.

Während die Kathi mit der Frau Lehrerin geredet hatte, waren etliche Kinder in die Klasse gekommen, und kaum war die Frau Lehrerin draußen, kamen sie alle zur Kathi und umringten sie.

„Du traust dich aber was", sagte der Xandi.

„Ich find' das Spitze! Wie die Nina Hagen", sagte die Evi.

Aber die Michaela sagte: „Bevor ich so ausschau', fall' ich lieber tot um!"

Und die Daniela sagte: „Schade um deine Lok-
ken, die waren so schön!"

Der Moritz bat, Kathis Irokesenstreifen ein biß-
chen angreifen zu dürfen. Die Kathi erlaubte es ihm.
Die Anette holte den „Rennbahnexpress" aus der
Schultasche und zeigte dem Niki auf Seite 12 eine
Popsängerin, die eine ähnliche Frisur wie Kathi
hatte. Und der Niki fragte die Kathi, ob sie auch
Sängerin werden wolle. Und dann wurde es ziem-
lich laut in der Klasse, weil etliche Kinder aus den
Nachbarklassen hereinkamen. „Wo ist die mit der
Punkfrisur?" rief einer aus der 4A.

Und einer aus der 3C brüllte: „Da hinten sitzt
sie! Echt! Die ist ja irre!" Die Kinder aus der 4A und
der 3C johlten los und kicherten wie die Kletteraf-
fen.

Aber noch lauter als ihr Gejohle und Gekicher
waren die Stimmen der Frau Berger, der Lehrerin
aus der 4A, und der Frau Smetacek, der Lehrerin
aus der 3C.

Die beiden standen bei der Klassentür und brüll-
ten: „Was soll das! Zurück mit euch in die Klasse!
Hier habt ihr gar nichts verloren! Marsch, marsch!"

Als sie dann aber entdeckten, warum ihre Schüler verbotenerweise in die 3A gelaufen waren, ver-
gaßen sie aufs Schimpfen und schauten genauso
neugierig wie ihre Schüler.

Dann kam auch noch die Frau Handarbeitslehrerin in die Klasse. „Die Kathi Rumpel soll in die Direktion kommen", rief sie.

Kathi stand auf. Sie schnitt ein Gesicht. Es sollte ein Ist-mir-doch-Wurscht-Gesicht sein. Aber in Wirklichkeit war der Kathi gar nicht wohl zumute. Vor der Frau Direktor hatte die Kathi ein bißchen Angst. Die Frau Direktor war groß und dick und hatte eine Hornbrille, die ihre Augen ganz klein machte.

Kathis Herz klopfte laut und unregelmäßig, als sie aus der Klasse schritt. Und als sie bei der Direktion war und die Türklinke schon in der Hand hielt, dachte sie: Ich renn' einfach weg, die Stiegen runter, aus dem Haus raus und komm' nie mehr zurück!

Doch das ging leider nicht, denn die Lehrerin Berger und die Lehrerin Smetacek waren mit ihren Schülern aus Kathis Klasse gegangen und standen nun zwischen Kathi und dem Stiegenhaus und schauten neugierig.

Einer aus der 4A sagte voll Freude: „Jetzt wird's schauen!"

Und eine aus der 3C grinste Kathi so schadenfroh an, daß die Kathi schnell die Türklinke herunterdrückte und in die Direktion hineinstolperte.

„Bitte da bin ich", sagte sie.

Die Frau Direktor saß hinter dem Schreibtisch, die Frau Lehrerin saß neben dem Schreibtisch.

„Komm näher, Kind", sagte die Frau Direktor.

Kathi ging zum Schreibtisch hin. Sie gab sich Mühe, der Frau Direktor gelassen ins Gesicht zu schauen. Die Frau Direktor betrachtete den Kopf der Kathi ziemlich lange, dann sagte sie: „Du warst doch voriges Jahr unser Schneewittchen, wegen deiner schönen Locken!"

Die Kathi nickte.

Die Frau Direktor stand auf und stupste Kathis vorderen Gamsbart mit einem Finger an. „Macht das am Morgen nicht viel Mühe?" fragte sie.

„Locken machen auch viel Mühe", sagte die Kathi.

Die Frau Direktor stupste Kathis hinteren Gamsbart und fragte: „Und daß dich alle auslachen, macht dir nichts aus?"

„Alle lachen nicht", sagte die Kathi.

„Aber doch viele, oder?" sagte die Frau Direktor.

„Die sollen nur!" Die Kathi hatte keine Angst mehr vor der Frau Direktor. Sie schaute ihr in die winzigen Brillenaugen. „Eine rosarote Masche mitten auf dem Schädel ist auch komisch! Und Stoppellocken auch! Und viele Frauen färben die Haare, die könnte man dann ja auch auslachen!"

Als die Kathi das gesagt hatte, schaute sie erschrocken.

Sie dachte: Das hätte ich besser nicht sagen sollen! Die blonden Haare der Frau Direktor sind sicher nicht echt! Das wird sie mir übelnehmen!

Die Frau Direktor nahm es nicht übel, sie sagte nur: „Na ja, so kann man es auch sehen!" Dann schloß sie die Augen und ribbelte ihre Nasenspitze zwischen Daumen und Zeigefinger.

Sie denkt nach, dachte die Kathi und wartete gespannt darauf, daß die Frau Direktor die Augen wieder aufmachen und endlich sagen würde, ob sie Kathis Kopf nun für möglich oder für ganz unmöglich hielt.

Ziemlich lange dachte die Frau Direktor nach, aber schließlich machte sie die Augen wieder auf, nahm die Finger von der Nase und sagte zur Frau Lehrerin Huber: „Liebe Frau Kollegin, wir haben schon allerhand durchgestanden, wir werden auch noch so einen Kopf aushalten können, oder?"

Die Frau Lehrerin Huber runzelte die Stirn. Anscheinend war sie mit der Meinung der Frau Direktor nicht sehr einverstanden.

Jetzt regt sie sich gleich auf, dachte die Kathi.

Doch die Frau Lehrerin Huber seufzte bloß und stand auf und sprach: „Na gut, Kathi, dann gehen wir in die Klasse zurück! Der Unterricht muß schließlich weitergehen!"

Als die Kathi und die Frau Lehrerin schon bei der Tür der Direktion waren, drehte sich die Frau Lehrerin aber noch einmal um und sagte zur Frau Direktor: „Aber ob man meinem Unterricht heute aufmerksam folgen wird, bezweifle ich. Ich fürchte, das Augenmerk meiner Schüler wird sich auf das hier richten!" Sie machte eine gar nicht freundliche Handbewegung auf Kathis Haarpracht hin.

„Aber, aber, Frau Kollegin", sagte die Frau Direktor, „bei Ihren Fähigkeiten werden Sie das schon schaffen!"

Kathi hatte den Verdacht, daß die Frau Direktor nur mühsam das Lachen unterdrückte.

Die Frau Lehrerin Huber hatte recht gehabt! Die 3A war viel mehr an Kathis Haaren interessiert als am Rechnen und Rechtschreiben. Fünfmal mußte die Frau Lehrerin Huber an diesem Vormittag „Ruhe" brüllen. Bisher hatte sie höchstens einmal im Monat „Ruhe" rufen müssen.

Der Kathi tat das leid. Sie hatte die Frau Lehrerin gern. Sie mochte nicht, daß sich die Frau Huber ärgern und aufregen mußte. Aber es ist ja nicht meine Schuld, dachte die Kathi. Ich sitze ja ganz still und höre aufmerksam zu. Ich kichere nicht, ich tuschle nicht, ich bin ganz brav! Ich kann ja nichts dafür, wenn sich die anderen wie die Affen aufführen!

Kathi saß wirklich ganz still und ganz brav in der Klasse. Sie muckte nicht einmal auf, als von hinten eine Papierkugel geflogen kam und gegen ihre Stoppelglatze sauste. Sie bückte sich bloß und hob die Papierkugel auf und streifte das Papier glatt und las, was auf dem Papier stand: „Du schaust serr blöd aus", stand da. Unterschrift war keine darunter, aber die Kathi wußte auch so, daß nur die Daniela den Zettel geschrieben haben konnte. Nur die Daniela war so schlecht im Rechtschreiben, daß sie „sehr" ohne h, aber mit doppeltem r schrieb.

Nach der großen Pause hatte die Kathi festgestellt: Es steht ungefähr 2 : 1 für meinen Kopf. Zwei Drittel der Kinder mögen mich auch so. Und

das Drittel, das mich nicht mag und für „total plem-
plem" hält, das sind die Kinder, die mich mit langen, schwarzen Locken auch nicht leiden konnten.

Der Erich und die Erika gehörten zu den Kindern, die nichts gegen Kathis Frisur hatten. Doch
nach der Schule, auf dem Weg zum Hort, sagte die
Erika: „Hast du keine Angst vor der Tante Fritzi?"

Die Tante Fritzi war die Hort-Tante, und die
war nun wirklich eine harte Nuß! Die hatte sich
schon aufgeregt, als einmal ein Mädchen mit rotlak-
kierten Zehennägeln in den Hort gekommen war.
Und das Leiberl von der Erika, das mit der quiet-
schenden Mickymaus auf der Brust, mochte sie
auch nicht. Am liebsten waren ihr Mädchen in Fal-
tenröcken und Rüschenblusen, mit Zöpfen und
Haarmaschen.

Dazu kam noch, daß die Tante Fritzi die Kathi
ohnehin nicht leiden konnte. Sie fand die Kathi zu
laut und zu frech und vor allem zu heikel, wenn es
ums Essen ging. Die Kathi mochte nämlich das
Hortessen überhaupt nicht, und wenn die Kathi etwas überhaupt nicht mochte, dann konnte sie nicht
einmal einen einzigen Bissen davon hinunterwür-
gen. Fast jeden Tag gab es deswegen Krach mit der
Tante Fritzi.

Gab es Erdäpfelpürree, rief die Kathi: „Was ist
denn das für ein Gatsch, das ist ja ganz grau und
ganz schlatzig!"

Gab es Fleisch in Soße, maulte die Kathi: „Igitt-
igitt, da sind ja lauter Fettstückeln drinnen!"

Gab es Paradeissoße, schimpfte die Kathi: „Das schmeckt ja wie eingebrannte Marmelade!"

Gab es Nudeln, jammerte die Kathi: „Das Zeug ist ja zu Kleister gekocht!"

Gab es Spinat, raunzte die Kathi: „Wieso ist denn der ganz hellgrün! Der sollte doch dunkelgrün sein!"

Gab es Erdäpfelgulasch, fluchte die Kathi: „Verdammt, haben die kein Salz und keinen Paprika und keinen Pfeffer!"

Nur jeden zweiten Freitag, wenn es Semmelschmarrn mit Apfelkompott gab, meckerte die Kathi nicht.

Die Tante Fritzi hatte zu Kathis Mama schon ein paarmal gesagt: „Frau Rumpel, Sie haben einen total verzogenen Bengel! Nichts will sie essen! Und wenn sie so herumnörgelt, macht sie allen anderen Kindern das Essen mies! Die fangen dann auch zu meckern an! Dabei hätte es ihnen garantiert geschmeckt, wenn Ihre Tochter den Mund gehalten hätte!"

Eigentlich gefiel der Tante Fritzi überhaupt nichts an Kathi. Richtig freundlich und lieb war sie zur Kathi noch nie gewesen. Und die Kathi hatte immer das Gefühl: Der Tante Fritzi wäre es lieber, wenn sie gar nicht mehr käme!

Der Kathi wäre es auch lieber gewesen, nicht mehr in den Hort zu kommen. Oft hatte sie schon der Mama gesagt, sie würde lieber allein zu Hause sein.

Aber die Mama hatte gemeint, dazu sei die Kathi noch zu klein. „Später einmal, in ein paar Jahren", hatte sie gesagt, „bist du groß genug zum Alleinbleiben."

Darum war die Kathi nicht sehr aufgeregt, als sie mit dem Erich und der Erika zum Hort ging. Sie dachte: Wenn ich so nicht im Hort bleiben kann, ist es mir nur recht! Dann geh' ich eben heim! Und einen anderen Hort in der Nähe gibt es nicht! Dann muß die Mama einsehen, daß ich zum Alleinbleiben groß genug bin. Und dann kann ich mir zum Mittagessen Nudeln kochen, die nicht pappig sind und Paradeissoße auftauen, die nicht nach Marmelade schmeckt und Spinat mit der richtigen Farbe kochen und Erdäpfelgulasch machen, das nicht wie Babybrei schmeckt!

Als die Kathi, der Erich und die Erika bei der Horttür waren, kamen aus der anderen Richtung gerade fünf Hortkinder von einer anderen Schule her. Vier Buben und ein Mädchen.

Einer der Buben, der Tommi, schrie, als er die Kathi sah: „Heiliger Bimbam!"

Und ein anderer, der Alex, brüllte: „Mich haut's um!" Aber das klang nicht böse, sondern ziemlich anerkennend.

Die anderen zwei Buben und das Mädchen sagten gar nichts. Sie starrten die Kathi nur mauloffen an.

Und dann sagte der Alex: „Wetten, die Tante

Fritzi trifft der Herzschlag?" Niemand wollte gegen den Alex wetten. Alle waren seiner Meinung.

Im Flur, der zur Garderobe führte, roch es stark nach Kohl. Kathi hielt den Atem an. Kohlgeruch war ihr schrecklich widerlich. Hoffentlich schmeißt sie mich noch vor dem Mittagessen hinaus, dachte Kathi. Die Tür zur Garderobe war offen. Die Tante Fritzi stand in der Garderobe und schimpfte mit einem Buben, weil er ein Mädchen in den Bauch geboxt hatte.

„Geht ihr zuerst rein", sagte die Kathi leise zum Erich und zur Erika.

Der Erich und die Erika nickten und betraten die Garderobe. „Grüß Gott, Tante Fritzi", sagten sie. Die fünf Kinder aus der anderen Schule marschierten hinter den beiden in die Garderobe ein.

Die Kathi folgte ihnen, murmelte „Grüß Gott" und drückte sich, hinter den Kindern, zu ihrem Garderobenplatz durch. Sie holte ihre Hausschuhe aus dem Schuhkasten, setzte sich auf den Boden und wollte die Hausschuhe anziehen.

Doch da rief die Tante Fritzi: „Um Christi willen! Was ist denn das?"

Kathi schaute gar nicht auf. Stur starrte sie auf ihre Füße und rührte sich nicht. Sie dachte: Ich muß ja nicht wissen, daß sie mich meint! Sie kann ja auch eine fette Spinne an der Wand gesehen haben!

Dann hörte die Kathi die Stimme der Erika. „Das ist eine Punkfrisur", sagte die Erika. „Haben Sie noch nie eine gesehen?"

Und der Erich sagte: „Das ist jetzt allerneueste Mode!"

Die Kathi starrte weiter auf ihre Füße und wartete darauf, daß die Tante Fritzi zu schimpfen anfangen werde, doch die Tante Fritzi murmelte bloß „Das ist der Gipfel", und dann lief sie aus der Garderobe in ihr Zimmer. Hinter sich knallte sie die Türe zu.

„Was tut sie denn jetzt?" fragte der Tommi.

„Keine Ahnung", sagte der Alex.

„Ist mir auch völlig schnuppe", sagte die Kathi. Der Erich schlich zum Zimmer der Tante Fritzi hin. Er legte ein Ohr an die Türfüllung. Kathi und die anderen Kinder waren ganz still. Nach einer Minute kam der Erich zurück. „Sie telefoniert", sagte er. „Sie brüllt ins Telefon!"

„Telefoniert sie mit der Polizei?" fragte die Erika.

„Bist übergeschnappt?" rief die Kathi. „Meine Haare sind doch kein Verbrechen!"

„Ich glaub', sie telefoniert mit deiner Mutter", sagte der Erich. „Weil sie dauernd ‚Ihre Tocher' sagt. Oder vielleicht telefoniert sie auch mit deinem Vater."

„Die Kathi hat ja gar keinen Vater", sagte die Erika.

„Jeder hat einen Vater", sagte der Tommi.

„Aber sie hat keinen, der bei ihr wohnt", sagte die Erika.

„Na und?" sagte der Tommi. Der Tommi hatte

auch keinen Vater, der bei ihm wohnte. Er kannte sich mit geschiedenen Vätern aus. „Anrufen kann ihn die Tante Fritzi ja trotzdem!"

Kathi war klar, daß die Tante Fritzi nur mit ihrer Mama telefonieren konnte!

Sie dachte: Die Telefonnummer vom Papa hat die Tante Fritzi ja gar nicht. Und der Papa ist ja jetzt im Büro. Und die Telefonnummer von dem Büro, in dem er jetzt arbeitet, die hat ja nicht einmal die Mama.

„Bitte, geh noch einmal", sagte die Kathi zum Erich. „Horch, ob sie noch telefoniert!"

Der Erich schlich wieder zur Tür und legte ein Ohr daran. Dabei nickte er zur Garderobe hin. Und dann schnitt er ein Gesicht. Ein richtiges Oje-oje-Gesicht. Und dann wieselte er ganz schnell zur Garderobe zurück, aber er war erst auf dem halben Weg, da machte die Tante Fritzi die Tür auf:

„Erich", rief sie. „Was fällt dir denn ein! Schäm dich! An Türen lauscht man nicht!"

Die Tante Fritzi marschierte in die Garderobe ein. „Kathi", sagte sie. „Du bleibst in der Garderobe sitzen! Deine Mutter wird dich abholen! Du kommst mir erst wieder in den Hort zurück, wenn du eine anständige Frisur hast!"

Die Tante Fritzi wandte sich an die anderen Kinder. „Und ihr geht jetzt essen! Die Frau Haberl teilt schon aus!"

Der Erich, die Erika und die anderen Kinder nickten der Kathi zu und verließen die Garderobe.

Kathi stellte ihre Hausschuhe in den Schuhkasten zurück, ging zum Fenster und schaute in den Garten hinaus. Zwei Spatzen waren auf der Wiese. Und im kleinen Blumenbeet saß noch ein dritter.

„Deine Mutter weiß nicht, daß du so eine irre Frisur hast?" fragte die Tante Fritzi.

Kathi gab keine Antwort.

„Wieso weiß das deine Mutter nicht?" fragte die Tante Fritzi. Kathi gab keine Antwort.

„Sie hat gesagt, gestern in der Früh waren deine Haare wie immer!"

Kathi gab keine Antwort.

„Sie hat gesagt, von gestern auf heute warst du bei deiner Großmutter, und die muß die Schuld an deinem Aussehen haben!" Kathi gab keine Antwort.

„Gib Antwort, wenn ich mit dir rede", sagte die Tante Fritzi. „Und dreh dich gefälligst um! Zeige mir nicht deinen Rücken! Hast du denn überhaupt keine Manieren?"

Kathi drehte sich um.

„Und schau mich an, wenn ich mit dir rede", sagte die Tante Fritzi.

Kathi schaute der Tante Fritzi ins Gesicht.

„Und schau nicht so frech!" sagte die Tante Fritzi noch.

Da drehte sich die Kathi wieder zum Fenster hin. Jetzt waren keine Spatzen mehr auf der Wiese, und der Spatz im kleinen Blumenbeet war auch weg.

„Du bist ein echter Sargnagel", sagte die Tante

Fritzi. Dann ging sie aus der Garderobe. Kathi hörte ihre Schritte leiser werden, hörte die Tür vom Zimmer der Tante Fritzi ins Schloß fallen, und Kinderstimmengemurmel vom Speiseraum her hörte sie auch.

Kathi schaute aus dem Fenster, steckte den rechten Daumen in den Mund und biß am Daumennagel. Das hatte sie schon seit vielen Jahren nicht mehr getan.

Jetzt wird es sich herausstellen, dachte sie. Jetzt wird die Mama kommen und mich sehen!

Kathi hatte ein bißchen Angst vor der Mama. Die Mama war mit der neuen Frisur sicher nicht einverstanden. Und daß die Lady die neue Frisur gemacht hatte, war noch ein Minuspunkt dazu.

Wenn die Kathi Angst hatte, bekämpfte sie die Angst nach dem Lady-Rezept, und das ging so: Zuerst atmete die Kathi dreimal langsam und tief durch, dann schloß sie die Augen und murmelte: „Nur keine Panik, nur keine Panik, es ist alles nicht so schlimm, davon geht die Welt nicht unter!" Und dann tat sie das, was die Lady „Gutpunkte-Sammeln" nannte. Sie überlegte, was in ihrer Lage als Vorteil anzusehen war. Sie dachte: Also erstens hat mich die Mama sehr lieb! Und zweitens schimpft mich die Mama vor anderen Leuten nie aus und vor der Tante Fritzi schon gar nicht, denn die kann sie auch nicht leiden. Und drittens sind meine Läuse weg! Und viertens will die Mama, daß ich selbständig bin; und eine Frisur selbst aussuchen, das

ist selbständig. Und fünftens sagt die Mama immer, man soll nicht eitel sein und um das „Aussehen" von jemandem soll man sich gar nicht kümmern, man soll nur die „inneren Werte" beurteilen; und innen bin ich genau wie vorher. Und sechstens ist meine Frisur modern, und die Mama ist eine moderne Frau. Und siebentens hab' ich nun diese Frisur, und das läßt sich nicht mehr ändern. Und Dinge im Leben, die man nicht mehr ändern kann, soll man nicht bejammern, sagt der Herr Georg.

Als sich die Kathi das überlegt hatte, war ihr viel leichter. Sie setzte sich auf das Fensterbrett, baumelte mit den Beinen, holte einen kleinen Taschenspiegel aus der Hosentasche und schaute sich ihre Frisur an.

„Da können alle sagen, was sie wollen", murmelte die Kathi, „mein Kopf ist einfach einsame Spitze!" Sie nickte ihrem Spiegelbild zu und steckte den kleinen Taschenspiegel wieder in die Hosentasche zurück.

Kaum zehn Minuten hockte die Kathi mit baumelnden Beinen auf dem Fensterbrett, dann hörte sie Stöckelschuhschritte auf den Fliesen im Hortgang und gleich darauf Klopfen an der Tür vom Zimmer der Tante Fritzi und die Stimme der Tante Fritzi, die „Herein, bitte" rief, und die Stimme der Mama, die „Guten Tag" sagte.

Die Kathi rutschte vom Fensterbrett. Sie schlich aus der Garderobe zum Zimmer der Tante Fritzi. Sie lehnte sich neben der Tür an die Wand. Obwohl die Tür geschlossen war, konnte sie gut verstehen, was im Zimmer geredet wurde.

„Wie sie aussieht, kann ich sie nicht hierbehalten", sagte die Tante Fritzi. „Wir sind keine Disko, sondern ein Hort!"

„Das haben Sie mir schon am Telefon gesagt", sagte die Mama. „Darum bin ich ja hier. Wo ist sie denn?"

„Sie müssen einsehen, daß ich mich nicht anders verhalten kann", sagte die Tante Fritzi. „Man kann das nicht einreißen lassen."

„O. K., O. K." Die Stimme der Mama war ungeduldig. „Ich hole sie ja ab, ich widerspreche ja gar nicht."

„Ich verstehe wirklich nicht", sagte die Tante Fritzi, „daß ein Kind —"

Die Mama unterbrach sie: „Liebe Tante Fritzi, ich kann mir keine langen Reden anhören, ich muß wieder ins Büro zurück. Kann ich jetzt bitte meine Tochter haben?"

Die Kathi machte die Tür zum Zimmer auf. „Da bin ich, Mama", sagte sie.

„Grundgütiger", flüsterte die Mama, als sie die Kathi sah, und die Tante Fritzi rief: „Na, da sehen Sie selbst, daß ich nicht übertrieben habe!"

Die Mama nahm die Kathi an der Hand, murmelte „Guten Tag, Tante Fritzi" und wollte mit der Kathi dem Hortausgang zu.

„Meine Schultasche." Die Kathi zeigte zur Garderobe.

Vom Speisesaal kamen Stimmengemurmel und Tellergeklapper. Die Kathi schnupperte Mehlspeisgeruch und dachte: Sie sind schon bei den Topfengolatschen.

Der Erich kam aus dem Speisesaal. Er stopfte den letzten Bissen seiner Golatsche in den Mund, wischte sich die Zuckerfinger am Hosenboden ab und sagte zur Mama: „Der Kathi ihre Haare sind Spitze!" Er hatte ja keine Ahnung, daß die Mama bis vor ein paar Minuten von Kathis Gamsbartglatze keine Ahnung gehabt hatte.

Die Mama gab dem Erich keine Antwort. „Hol deine Tasche, aber schnell!" sagte sie zur Kathi.

„Muß sie wegen der Haare heimgehen?" fragte der Erich. „Das ist gemein!"

Hinter dem Erich her kamen ein paar andere Kinder aus dem Speisesaal, die fragten auch: „Muß sie wegen der Haare gehen?"

Wahrscheinlich hätte ihnen die Mama sowieso keine Antwort gegeben. Aber auch wenn sie hätte antworten wollen, wäre das nicht möglich gewesen, denn die Tante Fritzi raste aus ihrem Zimmer, klatschte in die Hände und brüllte: „Marsch zurück mit euch! Ihr habt hier nichts verloren!"

Da gingen die Kinder in den Speisesaal zurück.

Kathi packte sich die Schultasche auf den Rükken. Das tat sie sonst nie. Das tat sie nur jetzt, weil sie wußte, daß die Mama für Schultaschen am Rükken war, und weil sie meinte, daß es im Augenblick besser sei, alles zu tun, was die Mama mochte. Darum sagte sie sogar artig „Auf Wiedersehen, Tante Fritzi" und machte einen winzigen Knicks. Dabei dachte sie allerdings: Hoffentlich seh' ich dich nie mehr wieder, du alter Uhu!

Die Mama nahm Kathi wieder an der Hand und marschierte mit ihr aus dem Hort, quer durch den Hof vom Gemeindebau, auf die Straße hinaus und dem Taxistandplatz an der Ecke zu.

Warum sagt sie denn gar nichts, dachte Kathi. Irgend etwas muß sie doch jetzt sagen! Aber die Mama schwieg. Erst als sie im Taxi saßen, machte sie den Mund auf, aber nur, um dem Fahrer zu sagen, wo er hinfahren solle. Nach Hause wollte die Mama. Kathi versuchte vom Gesicht der Mama abzulesen, in welcher Stimmung die Mama war, doch ihrem Gesicht war nicht viel anzumerken. Es war nicht wutrot, es war nicht schreckensbleich, es war nicht zorngelb, es war nicht gramgrün. Rosigheiter war es auch nicht.

Kathi fragte: „Bist du böse auf mich?"

„Ja", sagte die Mama.

„Sehr?" fragte Kathi.

„Ja", sagte die Mama.

„Warum?" fragte Kathi.

„Frag nicht so blöd", sagte die Mama.

„Ich hab' doch nicht blöd gefragt", sagte die Kathi.

„Halt den Mund, sonst dreh' ich durch", sagte die Mama.

„O. K., O. K.", sagte Kathi und schwieg.

108

Kein Wort mehr redeten die Mama und die Kathi im Taxi. Und auf dem Weg vom Haustor bis zur Wohnungstür schwiegen sie auch. Während die Mama in der Handtasche nach dem Schlüssel suchte, ging die Nachbartür auf, und die Frau Meier, die Mutter vom Michi, kam heraus und kniete sich auf den Boden und zupfte Fusseln vom Fußabstreifer. Dabei linste sie neugierig zur Kathi hin.

Kathi dachte: Der Meier geht's nicht um die Fusseln, der geht's um mich! Der hat der Michi von meiner Frisur erzählt, und da tät sie ja vor Neugier platzen, wenn sie mich nicht sehen tät!

Die Mama fand den Schlüssel, steckte ihn ins Schloß, stieß die Tür auf und Kathi ins Vorzimmer hinein. Sie packte Kathi an der Schulter, schob sie ins Badezimmer zum Spiegel und rief: „Schau dich an! Schau dich einmal an! Was Häßlicheres gibt's auf der ganzen Welt nicht mehr!"

Kathi taten die spitzen Fingernägel der Mama an der Schulter weh. „Aua", brüllte sie.

„Eine Vogelscheuche ist eine Schönheit gegen dich", rief die Mama und grub ihre Fingernägel noch tiefer in Kathis Schulter.

„Mir gefalle ich", brüllte die Kathi. „Und dir muß ich ja nicht gefallen! Es geht niemanden etwas an, wie ich ausschaue!"

„Meinst du?" rief die Mama, und dann nahm sie die große Schere vom Wandbrett und schnitt zuerst Kathis vorderen Gamsbart und dann Kathis hinteren Gamsbart ab. Das ging so schnell, daß Kathi erst losbrüllte, als die beiden buntgesprayten, steifen Haarbüschel schon am Boden lagen. Doch dann brüllte die Kathi so laut, daß es sicher durchs ganze Haus zu hören war.

Sie brüllte: „Das hättest du nicht tun dürfen!" Und: „Nein, nein, nein! So gemein darfst du nicht sein!" Und sie brüllte auch: „Ich mag dich nie-nie-nie mehr! Ich hab dich nie-nie-nie mehr lieb!"

Die Mama packte Kathi, riß ihr die Schultasche vom Rücken, zog ihr das T-Shirt über den Kopf, zerrte ihr die Jeans vom Leib und hob sie in die Badewanne. Kathi wehrte sich dagegen, sie strampelte und schlug wild um sich, doch die Mama war stärker. Mit einer Hand holte sie die Brause vom Haken und duschte Kathis Stoppelglatze ab. Die Kathi brüllte wieder „Nein-nein-nein!" und „Du bist gemein", doch das nützte ihr nichts, die Mama hörte nicht zu duschen auf. Und das Wasser war viel zu heiß für Kathis Kopf. Nur einmal legte die Mama für einen winzigen Augenblick die Brause weg, um eine ganze Flasche Haarwaschmittel über Kathis Kopf zu verteilen. Der Kathi kam das Seifenzeug in die Augen. Sie brüllte noch lauter. Und weil man beim Brüllen den Mund offen hat, kam ihr das Seifenzeug auch in den Mund. Die Kathi brüllte und spuckte und ribbelte sich die brennenden Augen. Endlich drehte die Mama die Brause ab.

Kathi hörte zu brüllen auf. Sie fühlte sich ganz erschöpft. Todkrank und zittrig fühlte sie sich. Sie zog die Knie an und legte den Kopf auf die Knie. Die

Augen brannten höllisch. Im Mund hatte sie noch immer den scheußlichen Seifengeschmack.

„Steh auf und zieh dich wieder an", schnaufte die Mama. Sie war außer Atem. Die Kathi in der Badewanne festzuhalten, war eine schwere Arbeit gewesen.

Kathi rührte sich nicht.

„Na, dann bleib halt hier hocken, bis du grün wirst!"

Die Mama verließ das Badezimmer. Die Kathi hörte sie noch eine Zeitlang in der Wohnung herumgehen, dann schlug die Wohnungstür ins Schloß, und um die Kathi herum war es still. Die Kathi drehte das kalte Wasser auf, nahm einen Waschlappen und wusch die brennende Seife aus den Augen. Sie trank zwei Becher Wasser, um den grauslichen Seifengeschmack aus dem Mund zu bekommen. Dann kletterte sie aus der Badewanne und schaute sich in den Spiegel.

Was die Kathi im Spiegel sah, war kein sehr schöner Anblick, aber ein sehr häßlicher Anblick war es auch nicht. Sie schaute so aus wie der Sommer-Milan. Der Milan war der Bub von der Hausmeisterin. Im Sommer hatte er eine Stoppelglatze, im Winter hatte er lange Locken. Nur einmal im Jahr ging er zum Friseur, da ließ er sich dann die Haare millimeterkurz abschneiden, und dann sagten die Leute im Haus: „Ab heute gibt's einen Sommer-Milan, jetzt kommt das Badewetter!"

Die Kathi war also über das, was sie im Spiegel

sah, nicht entsetzt. Daß man mit so einem Kopf auch herumlaufen kann, war ihr klar. Daß man mit so einem Kopf sogar weniger Aufsehen erregt als mit einem Irokesenkopf, war ihr auch klar. Und daß Haare wieder nachwachsen, war ihr ebenso klar. Trotzdem war ihr elend zumute. Richtig speiübel vor Wut und Traurigkeit war ihr.

Ein Kind ist der allerletzte Dreck, dachte die Kathi. Alles muß sich ein Kind gefallen lassen, dachte die Kathi. Nur weil es klein und schwach ist, kann ein Großer und Starker daherkommen, eine Schere nehmen und Haare abschneiden! Die Großen haben die Macht, und die Kleinen müssen parieren. Mit Kindern kann man alles machen! Würde ein Mensch mit einer Schere daherkommen und der Mama die paradeisroten Stirnfransen wegschnipseln, könnte die Mama die Polizei zu Hilfe rufen, und die würde den Mann mit der Schere einsperren. Ich kann niemanden zu Hilfe rufen. Und dabei würden die Kleinen und die Schwachen doch viel mehr Hilfe brauchen. Die Kathi ribbelte sich die nasse Stoppelglatze mit einem Handtuch trocken. Sie zog das T-Shirt und die Jeans wieder an und schlüpfte in die Sandalen. Die Jeans und das T-Shirt hatten große feuchte Flecken. Bei der wilden Duscherei war nichts im Badezimmer trocken geblieben. Sogar die Schultasche, die bei der Badezimmertür lag, war voll Wassertropfen.

Kathi nahm die Schultasche, ging in ihr Zimmer, setzte sich zum Schreibtisch und holte das Rechenheft aus der Tasche und machte die Hausübung. Kathis Magen knurrte. Doch essen wollte Kathi nichts. Wer wütend und traurig ist und vom nassen T-Shirt Gänsehaut auf dem Rücken hat, dem macht es nichts aus, auch noch hungrig zu sein.

Obwohl die Kathi die beste Rechnerin der ganzen 3A war, rechnete sie an diesem Nachmittag alle Rechnungen falsch aus, weil sie es nicht schaffte, die Wutgedanken und die Trauergedanken und die Rechengedanken auseinanderzuhalten.

Die Kathi rechnete aus, daß aus der Milchkuh Lisl täglich 1176 Liter Milch gemolken werden, wenn sie pro Woche 168 Liter gibt, und daß ein Schneider, der jeden Tag 25 Rollen Zwirn vernäht, pro Woche zu fünf Tagen insgesamt 5 Rollen Zwirn braucht. Sie merkte nicht einmal, daß da etwas nicht stimmen konnte. Jemandem, dem es so geht wie der Kathi, sind Milchkühe und Zwirnrollen völlig Wurscht!

Am Abend kam die Mama später als sonst vom Büro. Sie hatte eine Überstunde machen müssen, weil sie zu Mittag eine Stunde versäumt hatte. Sie tat, als sei überhaupt nichts Besonderes passiert. So, als sei sie bloß müde. Sie ging in die Küche und klapperte mit Geschirr herum. Speck-Eier-Geruch zog in Kathis Zimmer.

Die Mama rief: „Bitte komm Tisch decken!"

Die Kathi blieb in ihrem Zimmer. Sie saß am Boden und blätterte in einem alten Donald-Duck-Heft und dachte: Sie kann doch nicht glauben, daß zwischen uns alles wie früher ist! Sie muß doch wissen, daß zwischen uns alles aus ist!

„Kathi, komm essen", rief die Mama ein bißchen später. Die Kathi blätterte weiter im Donald-Duck-Heft.

„Kathi, das Essen wird kalt!" Die Mama kam zur Kathi ins Zimmer. Die Kathi tat, als sei sie in die Donald-Duck-Geschichte vertieft.

„Jetzt hör mir einmal zu, Süße!" Die Mama beugte sich zur Kathi. „Bocke nicht, wenn ich versuche, freundlich zu sein. Ich habe beschlossen, die ganze Sache zu vergessen. Obwohl mir das gar nicht so leicht fällt. Ich bin nicht mehr böse auf dich! Komm Süße, sind wir wieder Freunde!"

Kathi schüttelte den Kopf. Sie dachte: Das ist der Gipfel! Sie ist nicht mehr bös! Sie will die Sache vergessen! Jetzt soll ich vielleicht noch dankbar und gerührt sein?

Die Mama legte eine Hand auf Kathis Schulter.

Kathi schüttelte die Hand ab und sprang auf. „Lass' mich in Ruhe", rief sie. „Du bist nicht mein Freund! Nie mehr!"

„Nur weil ich dich nicht mit zwei Rasierpinseln auf dem Schädel herumrennen lasse?" fragte die Mama.

„Das ist mein Kopf!" rief die Kathi.

„Und du bist mein Kind", sagte die Mama. „Und wenn du einen Blödsinn machst, muß ich eingreifen!" Die Mama versuchte wieder, eine Hand auf Kathis Schulter zu legen, doch Kathi rief: „Greif mich nicht an! Greif mich bloß nicht an! Nie mehr, hörst du!"

Da drehte sich die Mama um und verließ Kathis Zimmer und sagte dabei: „Schlaf drüber, Süße! Morgen wirst du vernünftiger sein!"

Sie nimmt mich nicht einmal ernst, dachte die Kathi. Sie sieht nicht ein, daß ich recht habe. Sie ist stur. Und dann dachte die Kathi: Aber sie wird schon schauen! Sie wird es schon merken! Sie wird schon sehen, daß ich mit mir nicht umspringen lasse, wie es ihr gerade gefällt!

Wenn sich die Kathi etwas ganz fest vornahm, dann führte sie es auch aus. „Das Kind hat einen starken Willen", hatte die Mama schon oft lobend von Kathi gesagt. Diesmal fand die Mama Kathis starken Willen aber nicht lobenswert. Die Kathi redete kein freiwilliges Wort mehr mit der Mama. Bloß wenn die Mama etwas fragte, gab sie Antwort. „Ja" sagte sie, und „nein" sagte sie. Mehr sagte sie nicht.

Bis zum Freitag tat die Mama, als störe sie das nicht. Bis zum Freitag waren die Mama und die Kathi ja auch nur am Morgen und Abend zusammen.

Am Samstag aber, als die Mama fragte „Gehen wir einkaufen?" und die Kathi als Antwort bloß den Kopf schüttelte, drehte die Mama durch. Sie schleuderte den Einkaufskorb in einen Winkel und brüllte: „O. K.! Dann geh' ich auch nicht, dann haben wir eben nichts zu essen!" Sie lief in ihr Zimmer und knallte die Tür zu. Doch gegen halb zwölf kam sie wieder heraus, nahm den Einkaufskorb und lief in den Supermarkt. Und als sie dann mit einem vollen Einkaufskorb zurückkam und der Kathi ein Himbeercornetto schenken wollte und die Kathi bloß wieder den Kopf schüttelte, obwohl Himbeereis Kathis Lieblingseis war, da rief die Mama: „Willst du nie mehr mit mir reden, willst du auf ewig böse bleiben?"

Kathi gab keine Antwort.

Die Mama rief: „O. K.! Ich hab' mich falsch verhalten! Ich hätte mit dir reden müssen! Ich hätte das Irrsinnszeug nicht einfach wegschneiden dürfen! Aber wenn ich wütend bin, passiert mir eben so was! Es tut mir leid!"

Die Kathi sagte noch immer nichts. Die Mama seufzte. „Kathi, was willst du von mir?" fragte sie. „Was muß ich tun, damit du wieder freundlich wirst?"

„Du mußt einsehen", sagte die Kathi, „daß meine Haare nur mich etwas angehen! Daß du dabei gar nichts dreinreden darfst!"

„Das kann ich nicht", sagte die Mama.

Die Kathi setzte sich zur Mama.

Sie sagte: „Ich weiß, daß die Eltern den Kindern allerhand verbieten und allerhand anschaffen müssen. In-die-Schule-Gehen müssen sie anschaffen, und Auf-dem-Balkongeländer-Balancieren müssen sie verbieten. Und Kleinere-Kinder-Hauen müssen sie auch verbieten. Und Medizin-Nehmen müssen sie anschaffen. Und Bei-rotem-Lichtüber-die Straße-Laufen müssen sie verbieten. Und Zähne-Putzen müssen sie anschaffen. Und Geld-Stehlen müssen sie verbieten. Aber eine Frisur gehört nicht zu den Sachen, die sie anschaffen oder verbieten müssen!"

„Das war aber keine Frisur, was du auf dem Schädel gehabt hast", rief die Mama, „das war, das war —" Sie suchte nach einem Wort.

„Eine Weltanschauung", sagte die Kathi und war froh, daß sie sich das schöne Wort vom Herrn Georg gemerkt hatte. „Und auf eine Weltanschauung, die dir nicht gefällt, habe ich auch ein Recht!"

„Weltanschauung", murmelte die Mama, „du weißt doch gar nicht, was das bedeutet!"

Die Kathi überging das Gemurmel. „Sag mir einen vernünftigen Grund", rief sie, „warum man keinen Irokesenstreifen haben kann!"

„Weil", sagte die Mama, „weil —" sie steckte einen Daumen in den Mund und biß am Daumennagel.

„Daß er dir oder der Huber oder der Nachbarin nicht gefällt", sagte die Kathi, „ist kein vernünftiger Grund, weil mir gefällt deine Frisur und die von der Huber und die von der Nachbarin auch nicht!"

„Ich muß darüber nachdenken", murmelte die Mama.

Kathi ging in ihr Zimmer und dachte: Es wäre klüger gewesen, sie hätte nachgedacht, bevor sie die Schere genommen hat!

Die Mama kochte Eiernockerln zum Mittagessen. Die Nockerln waren pappig und ungesalzen. Kathi vollbrachte eine Meisterleistung! Eine, die sie noch nie geschafft hatte! Sie würgte die Scheußlichkeit auf ihrem Teller tapfer hinunter. Wenn sie nicht nach jedem Bissen drei Schluck Cola getrunken hätte, hätte sie das sicher nicht bis zum letzten Bissen durchgestanden.

Die Mama kaute auch recht lustlos an den Pappnockerln herum. Als sie die halbe Portion gegessen hatte, schob sie den Teller weg. „Du, Süße", sagte sie. „Ich habe nachgedacht! Laß dir die Haare nachwachsen, wie du magst. Von mir aus auf drei Dutzend Rasierpinsel. Und färb sie dir wie einen Regenbogen. Ich war im Unrecht!"

Kathi griff sich an die Stoppelglatze. Sie war froh, mit der Mama nicht mehr böse sein zu müssen. Sie war froh, eine Mama zu haben, die richtig nachdenken kann und Fehler zugeben kann.

Aber meine Haare, dachte die Kathi, die bleiben wie sie sind. Eisern! Kathi streichelte zufrieden über ihre Stoppelglatze. Das war ein Gefühl, als ob sie eine Kleiderbürste streichelte. Sie dachte: Warum die Haare jetzt so bleiben müssen, kann ich nur der Lady erzählen! Die versteht das am besten.

Am Montag wartete die Lady wieder vor der Schule. Daß die Kathi keine bunte Punkfrisur mehr hatte, wußte sie bereits. Das hatte ihr die Kathi schon am Mittwoch abend am Telefon gesagt. Nur daß die Kathi über die schmucklose Stoppelglatze nicht mehr traurig war, wußte sie nicht. Sie glaubte noch, die Kathi trösten zu müssen.

„Schau, mein Engel", sagte sie, als sie im Auto von der Schule wegfuhren. „Du hast ja einen gesegneten Haarwuchs. In der einen Woche sind deine Haare schon um einen halben Zentimeter gewachsen. Bald bist du wieder ganz die alte!" Die Lady fuhr, weil das Wetter so schön war, zu einem Heurigen. Vom Buffet holten sich die Lady und die Kathi harte Eier und Schinken und Liptauer und Salami und Brot, und bei der Kellnerin bestellten sie Traubensaft. Die Lady einen weißen, die Kathi einen roten.

„Einmal weiß für die Mama, einmal rot für den Herrn Sohn", wiederholte die Kellnerin die Bestellung. Kathi grinste und nickte.

„Jetzt halten dich wohl viele für einen Buben", sagte die Lady. „Ist das schlimm für dich?"

„Macht mir genausowenig, wie wenn sie dich für meine Mama halten", antwortete die Kathi. Und dann rückte sie ganz dicht an die Lady heran und sagte: „Mir ist es sogar sehr recht. Weil ich dem Jakob nämlich gesagt habe, daß ich mein Bruder bin! Und er glaubt es!"

Da mußte die Lady so stark lachen, daß alles an ihr wackelte. Auch die Hand mit dem Saftglas wackelte, und viel Traubensaft spritzte auf den Pulli der Lady. „Das ist ja toll", kicherte die Lady, „der Jakob hält dich für deinen Bruder! Spitze!"

Die Lady hörte schön langsam wieder zu kichern

auf. Sie wischte an ihrem Pulli herum. „Und wie ist das, wenn dich der Jakob für deinen Bruder hält?" fragte sie. „Mag er deinen Bruder genausowenig wie dich?"

Die Kathi schüttelte den Kopf. „Als meinen Bruder mag er mich!" sagte sie. „Am Donnerstag nach dem Hort haben wir uns auf Blutsbrüderschaft die Zeigefinger aufgeschnitten!" Die Kathi zeigte der Lady den rechten Zeigefinger. An der Fingerspitze war eine winzige Schnittwunde.

„Toll!" sagte die Lady.

„Find' ich auch", sagte die Kathi.

„Und wie geht das jetzt weiter?" fragte die Lady.

„Das wollt' ich eigentlich von dir wissen", sagte die Kathi.

Die Lady trank einen Riesenschluck vom Traubensaft, stopfte ein halbes Ei in den Mund, mampfte und schluckte und meinte dann: „Eigentlich muß er ein Depp sein, wenn er dir das geglaubt hat!"

„Der Jakob ist kein Depp", sagte die Kathi. „Aber ich hab' es so schlau angefangen! Und überhaupt ist es nur gegangen, weil mir die Renate geholfen hat. Ohne die wäre es sicher nicht gegangen!"

„Berichte, mein Engel", sagte die Lady und trank wieder einen Riesenschluck und stopfte die andere Eihälfte in den Mund.

„Das war so", sagte die Kathi und fing zu erzählen an. Die Kathi erzählte die Sache unheimlich ausführlich. Wenn man wegläßt, was nicht unbedingt

122

erwähnenswert ist, hörte die Lady ungefähr folgendes:

Der Jakob war um ein Jahr älter als die Kathi. Er wohnte im Nachbarhaus. Er war groß und blond und hatte blaue Augen. Allen Mädchen gefiel er unheimlich gut. Nur leider konnte der Jakob Mädchen nicht leiden; vielleicht deshalb, weil er drei große und zwei kleine Schwestern hatte. Die Kathi mochte der Jakob schon überhaupt nicht! Und weil die Kathi „Rumpel" hieß, hatte er hinter der Kathi immer hergebrüllt: „Katharina Rumpeltaschen, wer wird uns die Windeln waschen —".

Und darüber hatte sich die Kathi so geärgert, daß sie ihm einmal, bei der Klopfstange im Hof, eine Ohrfeige gegeben hatte. Hinterher war sie schnell ins Haus, in die Wohnung, gelaufen, und die Buben im Hof hatten den Jakob ausgelacht. „Der läßt sich von einem Mädel hauen", hatten sie gekichert. Seither war Todfeindschaft zwischen dem Jakob und der Kathi. Die Kathi ging dem Jakob immer aus dem Weg, weil sie den Verdacht hatte, der Jakob habe die Ohrfeige noch nicht vergessen und wolle noch immer Rache an ihr nehmen.

Am Mittwoch nun waren die Kathi und die Renate vom Hort nicht gleich nach Hause gegangen. In den Park, zum Spielplatz waren sie gegangen. Und dort waren der Jakob und ein paar andere Buben gewesen. Zuerst hatte die Kathi schnell wieder weg wollen, doch die Renate hatte gesagt:

„Du, vielleicht erkennt er dich gar nicht! Meine

Mama hat dich auch nicht erkannt, wie sie dich bei der Milchfrau gesehen hat!"

Weil der Jakob nicht den blöden Spruch von der Rumpeltaschen brüllte, dachte die Kathi: Auf den ersten Blick hat er mich nicht erkannt, aber auf den zweiten oder den dritten oder den zehnten wird er es merken!

Und dann hatte die Kathi eine Idee! Eine, von der sie ganz aufgeregt wurde. Sie tuschelte mit der Renate, und die Renate machte zuerst riesige Kulleraugen, und dann kicherte sie und flüsterte: „Das ist Spitze, das ist gut!" Dann setzte sich die Kathi auf eine Parkbank, und die Renate lief zum Kletterturm hin, zum Jakob und den anderen Buben. Denen erzählte sie, daß die Kathi Rumpel zu ihrem Vater gefahren sei, daß die Kathi Rumpel einen Zwilling habe, einen Buben, der habe bis jetzt beim Vater gewohnt und wohne nun bei der Mutter und sitze jetzt auf der Parkbank.

„Weil sie geschieden sind, die Eltern", sagte die Renate, „haben sie jetzt für einige Zeit die Kinder getauscht! Damit jedes Kind einmal das Leben bei jedem Elternteil kennenlernt!"

Der Jakob und die anderen Buben glaubten das. Sie kamen zur Kathi und bestaunten sie. Wie ein seltenes Tier im Tiergarten starrten sie die Kathi an. Und die Kathi dachte: Also, wenn ich wirklich mein Bruder wäre, würd' ich jetzt eine Heidenwut kriegen!

Dann sagte der Jakob zur Kathi: „Find' ich gut,

daß deine Schwester weg ist! Die ist nämlich eine Kuh, eine ganz blöde!"

Und einer der anderen Buben fragte: „Wie heißt du denn?" Darüber hatte die Kathi noch gar nicht nachgedacht. Sie überlegte, ob sie Thomas sagen solle oder doch lieber Michael oder vielleicht Alexander. Doch da sagte die Renate: „Oliver heißt er!" Das war nämlich der Lieblings-Bubenname von der Renate.

Der Jakob fragte: „Spielst du mit uns Fußball, Oliver, wir könnten einen siebenten brauchen. Ich bin der Tormann!"

Typisch, dachte die Kathi. Ob ich vielleicht der Tormann sein will, fragt er gar nicht.

Die anderen Buben schauten die Kathi ein bißchen mißtrauisch an. Einer, ein großer Dünner, stieß einen kleinen Dicken an und sagte: „Nimm du den Oliver in deine Mannschaft!"

Die Kathi merkte, daß der kleine Dicke davon nicht sehr begeistert war. Das ärgerte sie. Aber dann dachte sie: Eigentlich muß ich mich gar nicht ärgern, weil er ja nicht weiß, daß ich ein Mädchen bin!

„Losen wir halt aus", sagte der Jakob. Er holte ein Zehnerl aus der Hosentasche. „Wer das Zehnerl erwischt, gehört zu einer Mannschaft, wer die leere Hand erwischt, gehört zur anderen!"

Der Jakob tat die Hände auf den Rücken, damit niemand sehen konnte, in welche Hand er das Zehnerl steckte. Dann hielt er seine zwei Fäuste dem langen Dünnen hin. Der schlug auf die rechte Faust vom Jakob. Sie war leer. Nachher schlug der kleine Dicke auf die linke Faust. Nun war die leer.

„Jetzt kommt der Oliver dran", sagte der Jakob und tat die Hände wieder auf den Rücken.

Die Kathi dachte: Die Faust vom Jakob, in der das Zehnerl steckt, ist die, die er ganz fest ballt!

Und weil die Kathi auf den großen Dünnen und den kleinen Dicken ein bißchen beleidigt war, wollte sie nicht in ihre Mannschaft. So schlug sie auf die Faust vom Jakob, die ganz fest geballt war. Doch nun war diese Faust leer, und der lange Dünne und der kleine Dicke schauten sauer und fragten:

„Wie bist du denn überhaupt im Fußballern, Oliver?"

Die Kathi zuckte bescheiden mit den Schultern, aber die Renate rief: „Der Oliver ist einsame Spitze! Bei sich zu Hause ist er in der Kindermannschaft vom besten Fußballverein!" Da schauten alle Buben, auch der Jakob, sehr ehrfurchtsvoll.

„Bei welchem Verein?" fragte einer.

Die Kathi überlegte: Wenn ich mein Bruder bin und bisher bei meinem Vater gewohnt habe, dann habe ich in Linz gewohnt, also muß ich bei einem Linzer Fußballverein spielen. Der einzige Verein, der ihr einfiel, war der LASK. Von dem hatte sie schon im Fernsehen gehört.

„Beim LASK natürlich", sagte die Kathi, und dann fügte sie noch schnell hinzu: „Aber im Moment habe ich keine Kondition, ich hab' die letzten

Monate aussetzen müssen, weil ich Keuchhusten gehabt hab'!"

Die Renate blinzelte der Kathi zu: Du schaffst das schon, hieß das Blinzeln. Die Kathi war nämlich wirklich eine erstklassige Fußballspielerin. Fünf Mädchen gab es im Hort, die sehr gut Fußball spielen konnten. Aber gegen die Hortbuben hatten sie nur einmal gespielt. Unentschieden war das Match ausgegangen. Seither wollten die Hortbuben nicht mehr gegen die Mädchen antreten.

Die Kathi schaffte das Match tatsächlich erstklassig! Sie strengte sich unheimlich an. Ein Super-Torwart war der Jakob aber nicht. 12 : 6 für Kathis Mannschaft ging das Match aus. Acht Tore hatte die Kathi geschossen.

Gleich nach dem Match, als sich die Kathi noch den Dreck aus den Jeans putzte, sagte der Jakob zu ihr:

„Find' ich prima, Oliver, daß du jetzt statt deiner blöden Schwester da bist. Willst du mit mir Freund sein?"

„Sowieso", sagte die Kathi. „Aber jetzt muß ich heim." Und dann machte sie sich mit dem Jakob für morgen, nach dem Hort, ein Treffen im Hof aus.

Jeden Tag hatte sie sich seither mit Jakob getroffen. Am Sonntagvormittag war sie sogar mit dem Jakob und seinem Vater ins Technische Museum gegangen. Die Schwestern vom Jakob hatte der Vater nicht mitgenommen, weil die angeblich von „technischen Sachen" nichts verstanden.

Als die Kathi der Lady das alles erzählt hatte, bestellte sich die Lady noch einen Traubensaft und holte sich vom Buffet noch zwei Eier und ein paar Radln Blutwurst und futterte drauflos und fragte die Kathi:

„Und wo liegt jetzt dein Problem? Es läuft ja alles sowieso prima!"

Die Kathi bohrte in der Nase, holte einen harten Rotzrammel heraus und wollte ihn in den Mund stecken, aber die Lady schaute derart entsetzt, daß die Kathi den Rotzrammel an das Hosenbein klebte, um ihn für später — wenn es niemand sehen konnte — aufzuheben.

„Mein Problem liegt darin", sagte die Kathi, „daß der Jakob gesagt hat, er will mich zu Hause besuchen! Aber wenn ich zu Hause bin, ist ja auch die Mama zu Hause. Und die Mama würde nicht mitspielen, das weiß ich genau!"

„Hast du sie schon gesagt?" fragte die Lady.

„Nein", sagte die Kathi. „Aber ich hab' ihr erzählt, daß der Jakob Mädchen nicht leiden kann. Und da hat sie gesagt, so ein Bub ist ein Depp. Mit dem soll ich gar nicht reden. Und außerdem ist die Mama doch immer für Ehrlichkeit —" Die Kathi schüttelte den Kopf. „Sie versteht das nicht! Sie tät nur sagen: Wenn er dich als Mädchen nicht mag, dann pfeif' auf ihn!"

„Da hat sie ja nicht so unrecht", sagte die Lady.

„Ich pfeif' ja eh auf ihn", rief die Kathi. „Ich will ihn nur reinlegen. Nur bis zu den Ferien spiel' ich den Oliver. Dann kläre ich ihn auf. Und dann wird er schön blöd schauen!"

Die Lady verputzte das letzte Radl Blutwurst, wischte sich den Mund, trank ihr Saftglas leer und fragte: „Und wie soll ich dir da beistehen?"

„Ich hab' ihm erklärt, daß die Mama menschenscheu ist und keine Besuche will", sagte die Kathi. Die Lady lachte.

„Aber meine Großmutter, hab' ich ihm gesagt, die ist nicht menschenscheu. Und da hab' ich ihn für heute eingeladen." Die Kathi schaute die Lady besorgt an.

„Na ja", sagte die Lady. „Dann ist die Sache ja ohnehin schon ausgemacht. Wann kommt er denn, der Jakob Frauenfeind?"

„Um halb vier", sagte die Kathi. „Vorher hat er Klavierstunde."

Die Lady schaute auf die Armbanduhr. „Zahlen Fräulein", rief sie. „Schnell bitte, wir müssen weg!" Und als die Kellnerin gekommen war, sagte sie: „Mein Sohn hat mir nämlich gerade gesagt, daß hoher Besuch kommt!"

„Wird dieser Jakob auch zu mir nach Hause finden?" fragte die Lady, als sie schon wieder im Auto saßen.

„Wir holen ihn von der Klavierstunde ab", sagte die Kathi.

„Und wohin fahren wir da?" fragte die Lady. Kathi zog einen Zettel aus der Hosentasche.

„Taubergasse 11", las sie vor. „Dritte oder vierte Seitengasse von der Hernalser Hauptstraße, nach dem Elterleinplatz!"

„Va bene", murmelte die Lady und fuhr los, Richtung Taubergasse, denn es war schon fast drei Uhr.

„Und ab jetzt sag bitte Oliver zu mir", verlangte die Kathi. „Damit du dich daran gewöhnst!"

„Sehr wohl, K-Oliver", sagte die Lady.

Weil die Lady quer durch die ganze Stadt fahren mußte, um in die Taubergasse zu kommen, und weil sie auch noch tanken mußte und starker Verkehr war, kamen sie erst zehn Minuten nach halb vier Uhr in die Taubergasse. Der Jakob wartete schon vor dem Haus Nummer 11.

Als die Lady den Jakob sah, sagte sie zur Kathi: „Donnerwetter, der Knabe ist ja wahrlich eine Pracht! Da kapier' ich, daß jedes weibliche Kinderherz im Sieben-Achtel-Takt schlägt!"

„Findest du?" fragte die Kathi und tat, als habe sie noch gar nicht bemerkt, daß der Jakob ein wunderschöner Bub war. Die Kathi stieg aus dem Auto und lief zum Jakob.

Der Jakob brüllte „Daß d' endlich da bist, Alter" und drosch der Kathi liebevoll auf die Schulter.

Die Kathi führte den Jakob zum Auto. Zuerst wollte der Jakob gar nicht glauben, daß die Lady eine Großmutter war.

„Meine Großmutter schaut dagegen ja aus wie Ihre Großmutter", sagte er anerkennend zur Lady, und die Kathi grinste und dachte: Jetzt mag ihn die Lady auf alle Fälle!

Dem Jakob gefiel auch die Wohnung der Lady. Und Kathis Zimmer gefiel ihm besonders. „Echt toll", bewunderte er es. „So möcht' ich auch hausen!"

Das Zimmer bei der Lady, das der Kathi gehörte, war ja nun wirklich ein echtes Bubenzimmer, weil früher der Papa der Kathi darin gewohnt hatte und die Kathi kein Tupferl an der Einrichtung verändert hatte. Von der Decke hingen zwei große Segelfliegermodelle, auf Wandbrettern war eine Modellautosammlung, in einer Ecke lagerten gut ein Kubikmeter Comic strips, und an den Wänden waren Posters von Cowboys, nackten Mädchen und Draculas.

„Früher, wie meine Schwester Kathi noch da gewohnt hat", sagte die Kathi, „hat es hier natürlich anders ausgesehen. Lauter rosa Rüschen und so —"

Der Jakob schnitt ein Gesicht. „Magst du deine Schwester?" fragte er. „Ich mag die meinen nicht!"

„Ich meine auch nicht", sagte die Kathi.

„Sie ist ein Biest", sagte die Lady. „Frech und schlimm und launenhaft und unfreundlich! Ich bin froh, daß sie weg ist. Der Oliver ist mir viel lieber!"

Der Jakob schaute erstaunt. Eine Großmutter, die laut und deutlich sagt, daß sie ihre Enkeltochter nicht ausstehen kann, war ihm bisher noch nicht untergekommen.

„Und blöd ist die Kathi auch", rief die Kathi. „Und gemein ist sie noch dazu. Geschieht ihr recht, daß sie jetzt beim Papa sein muß! Und bei seiner neuen Frau!" Die Kathi grinste ganz satanisch. „Der Papa hat nämlich eine ganz böse Frau. Und sieben Kinder hat er mit der, die sind richtige Affen. Aber er hat sie natürlich viel lieber als die Kathi."

Der Jakob schaute entsetzt.

„Und dann hat er noch drei bissige Hunde", fuhr die Kathi fort. „Und die kennen die Kathi natürlich nicht und werden sie wahrscheinlich beißen —"

„K-Oliver", rief die Lady und schüttelte den Kopf; aber so, daß es der Jakob nicht merkte. Das hieß: Übertreib nicht! Eine böse Stiefmutter, sieben affige Geschwister und drei bissige Hunde, das nimmt dir doch keiner ab!

Aber der Jakob glaubte es. Ganz ernst schaute er drein. „Kann sie denn nicht wieder zurückkommen?" fragte er.

„Um Himmels willen", rief die Kathi. „Dann müßt' ich ja mein Zimmer mit ihr teilen und die Spielsachen und alles. Nein, nein, ich bin froh, daß sie weg ist."

Die Kathi holte alle Modellautos von den Wandbrettern und zeigte sie dem Jakob. Der Jakob bestaunte die Autos. Ganz seltene, wunderschöne Autos waren dabei. Der Jakob bekam bewundernde Kulleraugen. Aber zwischendurch schaute er ein paarmal die Kathi an. Und da war sein Blick überhaupt nicht bewundernd. Ganz im Gegenteil! Als ob die Kathi einen grauslichen Ausschlag im Gesicht hätte, schaute er.

Die Kathi merkte das und freute sich. Er mag mich nicht mehr, vor lauter Mitleid mit mir, dachte sie. Das ist nett von ihm!

Bis um sieben Uhr am Abend blieb der Jakob bei der Kathi. Dann brachte ihn die Lady mit dem Auto nach Hause. Die Kathi fuhr nicht mit. Sie mußte noch die Rechenhausübung schreiben.

„Morgen nach dem Hort im Park?" fragte die Kathi den Jakob zum Abschied.

„Ich weiß noch nicht, Oliver", antwortete der Jakob und stotterte ein bißchen herum. „Weil nämlich, also meine Mama — ich muß vielleicht —"

„Dann übermorgen?" fragte die Kathi.

„Da hat meine kleine Schwester Geburtstag", sagte der Jakob.

„Auf kleine Schwestern wird gepfiffen", sagte die Kathi.

„Aber nicht am Geburtstag", sagte der Jakob.

„Also wann sehen wir uns dann wieder, Alter?" fragte die Kathi.

„Ich weiß nicht", sagte der Jakob. „Ich ruf dich an!" Dann nickte er der Kathi zu und ging mit der Lady weg.

„Verdammter Mist", murmelte die Kathi hinter ihm her. Sie dachte: Jetzt hab' ich übertrieben, jetzt mag er mich gar nimmer. Und wenn er es sich noch überlegt, ist das auch blöd! Dann ruft er bei mir zu Hause an und verlangt den Oliver; und wenn die

Mama am Telefon ist, dann sagt sie, bei uns gibt es keinen Oliver! Und dann ist alles aus!

In den nächsten Tagen wunderte sich Kathis Mama gewaltig. Sooft am Abend das Telefon klingelte, sprang die Kathi auf und rief: „Bleib nur sitzen, ich geh' schon!"

Doch der Anruf, auf den die Kathi wartete, kam nicht. Jeden Tag, nach dem Hort, ging die Kathi in den Park. Aber der Jakob war nie dort.

Am Freitagabend, als die Kathi mit der Mama bei der Milchfrau war, sah sie den Jakob. Mit seiner Mutter und den zwei kleinen Schwestern kam er aus dem Haus. Die Kathi lief aus dem Milchladen und brüllte „Jakob" und winkte. Der Jakob hörte sie und winkte auch. Aber nur ein bißchen. Dann ging er mit der Mutter und den Schwestern zu einem Auto und stieg ein.

„So ein Depp", murmelte die Kathi, als das Auto eine Minute später am Milchladen vorbeifuhr. Der Jakob saß hinten im Auto und starrte stur geradeaus.

Am Samstagvormittag war die Kathi im Hof und turnte auf der Klopfstange. Obwohl sonst kein Kind im Hof war, weil schlechtes Wetter war. Sie dachte: Von den Nachbarhausfenstern aus muß man mich sehen! Wenn der Jakob will, könnte er zu mir kommen!

Der Jakob kam nicht. Ein kleines Mädchen kam in den Hof und zur Klopfstange hin. Es hielt ein Briefkuvert in der Hand.

„Bist du der Oliver?" fragte es.

Die Kathi hörte zu turnen auf. „Der bin ich", sagte sie.

„Das schickt dir mein Bruder!" Das Mädchen gab der Kathi den Brief und lief davon. Die Kathi sprang von der Klopfstange und ging zu den Abfalltonnen und setzte sich dort auf den Boden. Hierher konnte man von den Nachbarhausfenstern nicht sehen. „Für Oliver" stand auf dem Kuvert.

Im Kuvert war ein Zettel und noch ein Kuvert. Auf dem Zettel stand:

Ich weiß leider die Adresse Deiner Schwester Katharina nicht, bitte schicke ihr diesen Brief.

Auf dem Briefkuvert stand:

An Katharina Rumpel.

Die Kathi öffnete den Brief an die Kathi. Sie holte einen Bogen liniertes Papier aus dem Kuvert und las:

Liebe Katharina!

Ich bin der Jakob, dem Du einmal eine Watschen gegeben hast. Wie geht es Dir? Es tut mir leid, daß wir uns früher nie haben leiden können. Schreib mir bitte!

Ich hoffe, daß Dein Bruder Oliver meinen Brief auch wirklich an Dich schickt.

Dein Jakob.

Unter „Dein Jakob" stand noch die genaue Adresse vom Jakob.

Die Kathi steckte den Brief in den Brief zurück, lief in die Wohnung, setzte sich zum Schreibtisch, nahm ein Blatt Mickymaus-Briefpapier und schrieb:

Lieber Jakob!

Danke für Deinen Brief. Mir geht es nicht sehr gut. Meine sieben Geschwister hauen mich, meine Stiefmutter schimpft dauernd, und zwei Hunde haben mich schon gebissen. Dein Brief war das einzig Schöne, was mir passiert ist, seit ich hier bin. Bitte, schreib mir wieder.

Als die Kathi so weit gekommen war, legte sie die Füllfeder weg, steckte den Daumen in den Mund und biß an den Fingernägeln herum. Was mach' ich denn nun? dachte sie. Jetzt müßte ich doch meine Adresse schreiben, und das wäre die Adresse vom Papa, aber der würde sich schön wundern, wenn er einen Brief für mich bekommt.

Ziemlich lang biß die Kathi am Daumennagel herum, dann nahm sie die Füllfeder und schrieb weiter:

Wenn Du mir schreiben willst, schick den Brief an die Adresse von meiner Großmutter: Laura Dita Rumpel, 1210 Wien, Flohgasse 2. Meine Stiefmutter erlaubt nämlich nicht, daß ich Briefe bekomme, aber mein Vater erlaubt es schon. Und er besucht meine Großmutter immer am Wochenende, weil sie seine Mutter ist. Er wird mir Deinen Brief dann mitbringen.

Und weil auf der Hinterseite vom Briefbogen

noch viel Platz war, malte die Kathi eine Stiefmutter hin und sieben kleine böse Kinder und drei zottelige Hunde mit Vampirzähnen. Und weil dann noch immer ein Stück Platz frei war, schrieb sie:

PS: Ich hab Dich schon immer gern mögen. Die Watschen war nur, weilDu gespottet hast, und hat mir gleich nachher sehr leid getan.

Die Kathi faltete den Brief und steckte ihn in ein Kuvert. Während sie die Adresse vom Jakob daraufschrieb, überlegte sie, ob das nun ein „echter Liebesbrief" war und entschied sich dafür, daß es einer sein sollte! Darum malte sie statt dem Absender lauter rote Herzen auf die Kuvertklappe und himmelblaue Wolken und zwei Tauben, die einander küßten.

Dann ging die Kathi zur Mama. „Du, wenn ich woanders wäre und mir einen Brief schicken tät, wann wär' der bei mir?"

Die Mama lag auf der Couch. Sie hatte Gurkenscheiben im Gesicht, weil Gurkensaft der Haut guttut. Die Mama nahm eine Gurkenscheibe vom Mund und sagte: „Am Montag wär' dein Brief bei dir."

„Und wenn ich dann gleich wieder zurückschreiben tät?"

Die Mama setzte sich auf, alle Gurkenscheiben fielen vom Gesicht. „Warum willst du das wissen?" fragte sie.

„Nur so", sagte die Kathi.

Die Mama sammelte die Gurkenscheiben wieder ein, legte sich hin und verteilte sie über Wangen, Stirn und Nase. Und weil sie auch eine über den Mund legte, merkte die Kathi, daß die Mama nicht weiterreden wollte, und ging in ihr Zimmer zurück. Sie dachte: Wenn ich den Brief erst am Montag bekomme, kann der Jakob erst am Dienstag oder am Mittwoch einen Antwortbrief bekommen. Das paßte der Kathi nicht. Am liebsten hätte sie ihren Brief jetzt gleich ins Nachbarhaus getragen und in den Briefschlitz an der Müller-Tür gesteckt. Ein geduldiges Kind war die Kathi eben wirklich nicht.

Den Samstagnachmittag verbrachte die Kathi damit, daß sie ihr Zimmer aufräumte. Nicht freiwillig natürlich. Die Mama hatte es angeschafft.

Am Sonntag regnete es. Die Kathi blieb am Vormittag im Bett und las. Am Nachmittag schaute sie fern, obwohl sie der uralte Liebesfilm, den es im Fernsehen gab, gar nicht interessierte. Gegen Abend klingelte dann das Telefon. Die Kathi sauste hin, aber es war wieder nicht der Jakob. Es war der Otto-Anton, der Freund von der Mama. Er lud die Mama ins Kino und zum Nachtmahl ein.

Die Kathi mochte es wirklich nicht, am Abend allein zu Hause zu sein, doch als die Mama fragte: „Süße, gibst du mir Ausgang?" nickte die Kathi. Und als die Mama wegging, fragte sie nicht einmal: „Wann kommst du zurück?" Sie wußte nämlich aus Erfahrung, daß die Mama da immer mogelte und schließlich viel, viel später kam als ausgemacht.

142

Recht öde verbrachte die Kathi den Sonntagabend. Den Schinken, den ihr die Mama zum Nachtmahl hergerichtet hatte, mochte sie nicht. Er roch komisch und hatte einen dicken Fettrand. Und das Brot schmeckte, als ob es aus Sand gebakken sei. Cola war auch keines im Haus, und im Fernsehen gab es auf allen Kanälen nur langweilige Filme. Die Kathi versuchte dann noch einen anderen, einen noch schöneren Brief an den Jakob zu schreiben, aber auch das gelang ihr nicht. So ging sie sehr zeitig ins Bett. Wann die Mama nach Hause kam, merkte sie nicht, da schlief sie schon.

Am Montag ging die Kathi zusammen mit der Renate in die Schule. An der Ecke steckte die Kathi den Brief an den Jakob in den Briefkasten. Die Renate wollte unbedingt wissen, warum die Kathi den Brief geschrieben hatte und was in ihm stand. Aber so eine gute Freundin, daß ihr die Kathi von einem „echten Liebesbrief" hätte erzählen können, war die Renate nun auch wieder nicht. So sagte die Kathi bloß: „Das ist mein Geheimnis!"

„Wenn du so bist", rief da die Renate. „Dann sag' ich dem Jakob, daß du gar nicht dein Bruder bist!"

Die Kathi dachte: So gemein wird sie nicht sein und sagte: „Von mir aus! Ist mir doch Wurscht!"

Die Renate boxte die Kathi in die Rippen, rief „Ich mag dich nimmer" und lief davon, der Schule zu.

Dem Jakob erzählte die Renate Kathis Geheimnis nicht. Aber allen in der Klasse erzählte sie es, und die erzählten es in der Pause, auf dem Klo, Kindern aus anderen Klassen, und in der Zehn-Uhr-Pause wußte die ganze Schule: Die Rumpel aus der 3A hat einem Jakob vorgeschwindelt, daß sie ihr eigener Bruder ist, und der Depp hat es geglaubt. Die Kinder lachten über den Jakob, den sie gar nicht kannten.

„In welche Schule geht denn dieser Hirn-Ederl?" fragte der Erich.

„Der muß ja Stroh im Hirn haben", sagte die Erika. „So was zu glauben!"

Die Renate ärgerte sich, weil die Kinder der Kathi den Schwindel nicht übelnahmen, sondern die Kathi deswegen sogar bewunderten.

Die Kathi aber ärgerte sich noch mehr. Sie mochte nicht, daß die Kinder über den Jakob lachten und ihn für dumm hielten. In der Pause, vor der letzten Stunde, kam ein Mädchen in die 3A. Es schaute sich um, entdeckte die Kathi und ging zögernd auf sie zu. Es war das Mädchen, das der Kathi den Brief zur Klopfstange gebracht hatte. „Stimmt das, was die Kinder sagen?" fragte das Mädchen.

Eigentlich wollte die Kathi alles abstreiten, doch dann nickte sie und sagte: „Nur ist es nicht so, wie sie sagen. Es ist alles ganz anders!"

„Wie ist es denn?" fragte das Mädchen.

Die Kathi hätte dem Mädchen gern erklärt, wie es wirklich war, aber so einfach war das nicht zu erklären; vor allem nicht, wenn einem eine ganze Schulklasse dabei zuhören konnte.

Wenn die Kathi nicht aus und nicht ein wußte, dann wurde sie ruppig. „Das geht dich einen Dreck an", fauchte sie.

„Du bist gemein zu meinem Bruder", sagte das Mädchen, drehte sich um und marschierte aus der Klasse.

Die Kinder um Kathi herum, die gehört hatten, was das Mädchen gesagt hatte, lachten hinter ihm her. Bei der Klassentür drehte sich das Mädchen um und streckte der gesamten 3A die Zunge heraus.

Der Kathi war ziemlich scheußlich zumute. Da half es auch nichts, daß die anderen Kinder die Sache mit dem Jakob „einfach spitzig" fanden.

„Servus Oliver, mein Knabe", begrüßte die Lady die Kathi zu Mittag vor der Schule. „Alles in Butter, mein Engel?"

Die Kathi schüttelte den Kopf.

„Fünfer gekriegt?" fragte die Lady. „Streit mit dem Erich und der Erika gehabt?" fragte die Lady. „Laus über das Leberl gelaufen?" fragte die Lady.

Die Kathi schüttelte auf alle Fragen den Kopf, dann rief sie: „Nix ist! Gar nix! Frag nicht so viel!"

„Pardon, Oliver", sagte die Lady zerknirscht.

„Und nenn mich nicht Oliver, wenn's leicht geht", rief die Kathi.

„Aha", sagte die Lady. „Aus der Ecke weht der Gram!"

Im Auto erzählte die Kathi der Lady dann, was passiert war. Die Lady fand das nicht schlimm. „Aber, mein Engel", sagte sie, „genau das wolltest du doch. Nur ist es halt ein bißl schneller gegangen, als du gedacht hast. Aber ein Spaß, der zu lange dauert, ist eh nur fad!"

Dann machte die Lady der Kathi Mittagessen-Vorschläge: eine Pizzeria, eine Brathendl-Station, einen Schnitzel-Wirt, eine Konditorei ...

„Fahren wir nach Hause", sagte die Kathi.

„Zu Hause hab' ich aber nur zwei Schuhsohlen in Gatsch", sagte die Lady. „Rindsrouladen hätten das werden sollen, nach einem Rezept vom Georg. Aber irgend etwas ist schiefgegangen."

Die Kathi fand, daß Schuhsohlen in Gatsch haargenau zu ihrer Stimmung paßten.

„Na auch gut, du Trauerweidenkind", sagte die Lady und fuhr heim.

Die Kathi aß von der Schuhsohle in Gatsch ein absatzgroßes Stück. Mehr hätte sie sicher auch von einer besseren Rindsroulade nicht gegessen. Sie hatte überhaupt keinen Hunger, und dauernd mußte sie denken: Jetzt hat die kleine Schwester dem Jakob schon alles erzählt! Sie versuchte sich vorzustellen, was der Jakob jetzt dachte. Ob er nun eine Riesenwut hatte, ob er nun auf Rache aus war oder ob ihm vielleicht alles ziemlich gleichgültig war. Sie konnte sich für keine der drei Möglichkeiten so recht entscheiden.

Um drei Uhr sagte die Lady „Komm, mein Engel!" und winkte dabei mit dem Autoschlüssel.

„Wohin?" fragte die Kathi.

Die Kathi hatte zwar keine Lust wegzugehen,

aber weiter mit trüben Gedanken herumsitzen mochte sie auch nicht.

„Überraschung, mein Engel!" sagte die Lady.

Die Kathi dachte: Wahrscheinlich will sie mir eine Freude machen. Wahrscheinlich will sie mir die roten Sandalen kaufen, die sie mir versprochen hat. Und dazu die weißen Socken mit den roten Herzen drauf!

„O. K., Lady", sagte die Kathi. Sie versuchte ein heiteres Gesicht zu machen. Schließlich hatte die Lady an ihrem Kummer ja keine Schuld.

Im Auto dann merkte die Kathi, daß die Lady absolut nicht in die Richtung fuhr, in der es die roten Sandalen gab.

„Wohin fährst du denn?" fragte sie.

„Überraschung", sagte die Lady.

„Ich mag keine Überraschung", murmelte die Kathi.

„Ich fahre in die Taubergasse", sagte die Lady. „Weil ich annehme, daß der Jakob jeden Montag bis halb vier Klavierstunde hat!"

„Nein!" rief die Kathi.

„Doch!" sagte die Lady.

„Ich steig aus", rief die Kathi.

„Aus einem fahrenden Auto kannst du nicht aussteigen", sagte die Lady.

Die Kathi trommelte der Lady auf den Rücken.

„Gib Ruh!" sagte die Lady. „Führ dich nicht auf wie ein Depp! Du hast was Blödes gemacht, und ich hab' dir dabei geholfen. Jetzt müssen wir es ausbügeln, so gut es geht!"

„Das geht nicht mehr", sagte die Kathi.

„Ein Versuch muß drin sein", sagte die Lady.

„Aber ich will nicht!" rief die Kathi.

„Doch", sagte die Lady. „In Wirklichkeit willst du. Du magst den Jakob. Du bist traurig. Du willst, daß er dich auch mag." Die Kathi ließ ihre Fäuste sinken. Sie wußte, daß die Lady recht hatte. Zugeben wollte sie es trotzdem nicht.

„Ich red' kein Wort mit ihm", sagte sie.

„Mußt du ja nicht, ich red' schon", sagte die Lady.

„Ich steig' gar nicht aus dem Wagen, ich bleib' sitzen", sagte die Kathi.

„Hab' ich nicht anders erwartet", sagte die Lady und bog in die Taubergasse ein. Drei Minuten vor halb vier war es. Direkt vor dem Haustor Nummer 11 war ein Platz zum Parken frei. Die Lady parkte dort ein, obwohl „Ausfahrt freihalten" am Haustor stand.

„Wir bleiben ja nur ein paar Minuten", sagte sie.

Sie stieg aus dem Auto und stellte sich neben der Haustür auf. Die Kathi machte sich hinten im Auto ganz klein. Sie rutschte vom Sitz und hockte sich auf den Wagenboden; aber so, daß sie beim Seitenfenster hinaussehen konnte.

Punkt halb vier kam der Jakob aus dem Haustor. Als er die Lady sah, wollte er schnell weg, aber die Lady hielt ihn am Arm fest.

Die Kathi konnte nicht verstehen, was die Lady zum Jakob sagte. Sie sah nur, daß der Jakob böse schaute. Und einmal schüttelte er den Kopf. Und einmal schaute er zum Auto her. Ob er die Kathi gesehen hatte, war ihm nicht anzumerken.

Die Kathi kurbelte das Autofenster herunter, weil sie dachte: Vielleicht hör' ich, was die Lady zu ihm sagt. Doch der Straßenlärm war so groß, daß die Kathi auch bei offenem Fenster nicht verstand, was die Lady sagte. Bloß „Geh, sei nicht so!" war einmal zu verstehen, und dann: „Aber wenn ich dich ganz, ganz schön bitte?"

Das „ganz schöne Bitten" hatte anscheinend Erfolg. Der Jakob ließ sich von der Lady zum Auto ziehen. Ein bißchen sträubte er sich. Aber das wirkte nicht ganz echt. Die Kathi dachte: Er tut nur so! In Wirklichkeit wehrt er sich nicht! Wenn er nicht kommen wollte, müßte die Lady viel, viel mehr Kraft anwenden! Die Kathi rutschte wieder auf den Sitz hinauf und machte den Platz, der Gehsteigseite zu, frei. Die Lady öffnete die hintere Tür und schubste den Jakob ins Auto.

„Servus Jakob", sagte die Kathi leise.

„Servus", murmelte der Jakob. Er schaute die Kathi nicht an.

Die Lady stieg ins Auto. „Ich muß weg von hier, ich steh' verboten", sagte sie und startete.

Die Lady fuhr zur Hauptstraße und dann die Hauptstraße stadtauswärts. Sie drehte das Radio an, ließ die Ö3-Musik laut wummern und sang jeden Song mit. Die Lady konnte nämlich fast alle Liedertexte, weil im Frisiersalon vom Morgen bis zum Abend das Radio angestellt war.

„Bist du böse auf mich?" fragte die Kathi.

„Nein", sagte der Jakob. „Ich hab' das doch vom Anfang an durchschaut! Glaubst, ich bin so blöd?"

Nichts hat er durchschaut, dachte die Kathi. Alles hat er geglaubt! Der Brief beweist es!

„Darum wollt' ich dich ja nicht mehr sehen", sagte der Jakob.

Schmähtandler der, dachte die Kathi. Weil ich von meiner armen Schwester so unfreundlich geredet habe, wollte er mich nicht mehr sehen. Aber das gibt der nie im Leben zu!

„Und was ist jetzt?" fragte die Kathi.

„Nichts, was soll schon sein?" Der Jakob tat, als sei ihm die ganze Sache gleichgültig.

„Morgen bekommst du einen Brief von mir", sagte die Kathi. Drei Häuserblocks lang gab der Jakob keine Antwort, dann fragte er doch: „Was steht drinnen im Brief?"

„Daß ich dich schon immer mögen hab'", sagte die Kathi und wurde ganz rot im Gesicht.

„Du mich mögen? Runtergehaut hast du mir eine, vor allen Kindern", sagte der Jakob.

„Nur vor drei Kindern! Und nur weil du gespottet hast!" sagte die Kathi.

Und dann, da fuhr die Lady schon am Stadtrand durch eine Straße mit Villen und Gärten, fragte die Kathi: „Warum kannst du Mädchen nicht leiden?"

„Sie sind blöd, man kann mit ihnen nicht Freund sein", sagte der Jakob.

„Aber wir haben Blutsbrüderschaft gemacht!" Die Kathi hielt dem Jakob ihren Zeigefinger hin. Der winzige Schnitt war noch ein bißchen zu sehen. „Ich kann dir dein Blut nicht mehr zurückgeben!"

„Ich dir meines auch nimmer!" Der Jakob stupste die Kathi mit seinem Blutsbrüderschaftsfinger in den Bauch. „Jetzt müssen wir halt Freunde bleiben."

„Auf immer und ewig", sagte die Kathi.

„Aber nur durch einen Betrug von dir", sagte der Jakob.

„Das macht mir nichts aus", sagte die Kathi und grinste.

Die Lady schaltete das Radio ab und fuhr an den Straßenrand. Sie drehte sich um, schaute die Kathi und den Jakob an und fragte: „Darf man gratulieren?"

Die Kathi nickte.

„Dann also tausend herzliche Glückwünsche zur geleimten Freundschaft", sagte die Lady. Sie wendete den Wagen und fuhr wieder der Stadt zu. Der Jakob mußte schließlich nach Hause.

„Wenn die Lady nicht wäre", sagte der Jakob, „wären wir zwei nicht miteinander gut geworden."

„Wenn die Lady nicht wäre", sagte die Kathi, „dann wäre überhaupt nichts gut!" Sie lehnte sich an den Jakob und schloß die Augen und dachte: So schön wie jetzt war es schon lange nicht!